# Planetino 3

## Deutsch für Kinder

# Kursbuch

*Gabriele Kopp*
*Siegfried Büttner*
*Josef Alberti*

Hueber Verlag

## Symbole in Planetino

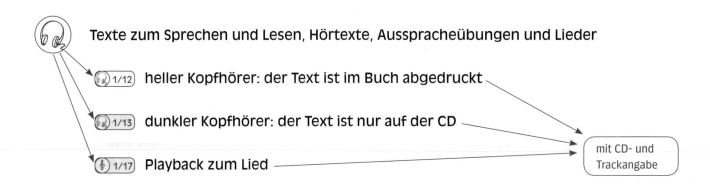

Texte zum Sprechen und Lesen, Hörtexte, Aussprachenübungen und Lieder

1/12   heller Kopfhörer: der Text ist im Buch abgedruckt

1/13   dunkler Kopfhörer: der Text ist nur auf der CD

1/17   Playback zum Lied

mit CD- und Trackangabe

 Lesen

 Schreiben

 Partnerarbeit

 Hinweis auf das Portfolio

6.  5.  4.   | Die letzten Ziffern
2020  19  18  17  16  | bezeichnen Zahl und Jahr des Druckes.
Alle Drucke dieser Auflage können, da unverändert,
nebeneinander benutzt werden.
1. Auflage
© 2011 Hueber Verlag GmbH & Co. KG, 85737 Ismaning, Deutschland
Redaktion: Maria Koettgen, Kathrin Kiesele, Hueber Verlag, Ismaning
Umschlaggestaltung: Lea-Sophie Bischoff, Hueber Verlag, Ismaning
Umschlagfoto: Hueber Verlag/Monika Bender
Layoutkonzept: Lea-Sophie Bischoff, Hueber Verlag, Ismaning
Satz und Herstellung: Sieveking · Agentur für Kommunikation, München und Berlin
Zeichnungen: Hueber Verlag/Bettina Kumpe; Hueber Verlag/Ute Ohlms
Comics: Hueber Verlag/Bettina Kumpe
Druck und Bindung: Firmengruppe APPL, aprinta druck GmbH, Wemding
Printed in Germany
ISBN 978–3–19–301579–2

Art. 530_06535_001_04

# Inhalt

## Wir sprechen, hören, sehen fern

## Wir!

## Theater: Reise nach Planetanien

## Feste im Jahr

## Wortliste

## Ein Spiel für alle Fälle

# Freizeit

**a)** Schau die Comics an. Was sagen die Personen? Was glaubst du?

**2 Comic**

 **b)** Wohin gehören die Sätze?

1/2-3 **c)** Hör zu und lies mit.

> Hier ist dein Pferd. • Fußball ist langweilig. • Sag mal, Planetino.
> Was machst du eigentlich in deiner Freizeit? • Musik hören? Nein,
> ich habe keine Lust. • Das läuft nicht. Das springt! • Wie bitte? •
> Was ist das denn? • Na ja, nichts tun. • Also los! • Nichts. •
> Ich kann auch gut reiten. • Hallo, Lisa.

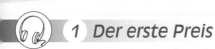

# Lektion 41
## Das Preisausschreiben

 **1** *Der erste Preis*

## Das große
## Preisausschreiben
### der Kinder-Illu

Was ist da abgebildet?
Schreib von jedem Wort den
angegebenen Buchstaben auf.

Nimm den zweiten
Buchstaben.

Du brauchst den dritten
Buchstaben.

Nimm den fünften
Buchstaben.

Hier brauchst du den ersten
Buchstaben.

Du brauchst den dritten
Buchstaben.

Nimm den vierten
Buchstaben.

Hier nimmst du den sechsten
Buchstaben.

Bring die Buchstaben in die richtige Reihenfolge.
So bekommst du das Lösungswort.
Übrigens: Das Lösungswort hat etwas mit
dem ersten Preis zu tun.
Schick dein Lösungswort
per Postkarte an:   Kinder-Illu
                    Postfach 81552
                    81371 München
per E-Mail an:      preis@kinderillu.de

### Das ist der **erste Preis**:

**Zwei Karten für ein Heimspiel deiner
Münchner Lieblingsmannschaft mit Besuch
in der Spielerkabine**

**Die weiteren Preise:**
**- Fußbälle mit Autogrammen der Spieler**
**- Spielertrikots**
**- Bücher über die Fußball-Bundesliga**

**a)** Lös das Preisausschreiben.

🎧 1/4  **b)** Hör den ersten Abschnitt des Textes. Wer hat den ersten Preis gewonnen?

🎧 1/4-8  **c)** Hör jetzt den ganzen Text. Lies die Fragen. Hör dann die Textabschnitte noch einmal und
antworte.

    **1** Wer geht in die Stadt?

    **2** Wohin geht Maja?

    **3** Wer geht auf den Spielplatz?

    **4** Wohin geht Niko?

    **5** Wer geht in den Skatepark?

 **d)** Stell Fragen mit dem Fragewürfel: Wer? Wohin? Was? Warum? Wann? und **?**
    Beispiel:   **?**   Kann Maja mitkommen?

## 2 Wohin gehen die Kinder?

 **1/9**  **a)** Hör zu, schau die Bilder an und nenn die Orte.

| | A | B | C |
|---|---|---|---|
| 1 | in den Zoo | ins Schwimmbad | in die Turnhalle |
| 2 | in den Zirkus | ins Kino | in die Ballettschule |
| 3 | in den Skatepark | ins Eiscafé | in die Musikschule |
| 4 | auf den Tennisplatz | ins Stadion | in die Reithalle |
| 5 | auf den Sportplatz | ins Popkonzert | in die Stadt |

 **1/10**  **b)** Rasterspiel:

Schau die Bilder zwei Minuten genau an und lies die Texte unter den Bildern. Merk dir die Felder: A1, A2 … B1, B2 … C1 …

Deck die Seite zu. Nun hör die Raster-Fragen und antworte auswendig.

Beispiel: C1. Wohin gehen die Kinder? – In die Turnhalle.

**c)** Macht Bildkarten von den Orten. Macht einen Raster an die Tafel (A, B, C und 1, 2, 3 …) und hängt die Bildkarten auf. Spielt das Rasterspiel.

## 3 Spiel: Wohin gehst du wirklich?

Schreibt Wortkarten: | in den Zirkus | | auf den Tennisplatz | | ins Schwimmbad | usw.

Legt die Bildkarten von Übung 2 und die Wortkarten auf den Tisch.

 ## 4 Kommst du mit?

1/11

- ■ Hallo, Ina.
- ● Hallo, Lukas. Na, was gibt's?
- ■ Du, ich habe den ersten Preis bei einem Preisausschreiben gewonnen.
- ● Super! Bravo! Und was hast du gewonnen?
- ■ Zwei Karten für das Fußballspiel am nächsten Samstag.
  Kommst du mit ins Stadion? Hast du Lust?
- ● Am nächsten Samstag? Tut mir leid, da habe ich keine Zeit.
- ■ Warum denn nicht?
- ● Ich gehe am Samstag um vier Uhr mit Tante Eva ins Theater.
- ■ Schade.

Macht weitere Dialoge:

Jakob: Samstag – fünf Uhr – Popkonzert
Arno: Samstag – drei Uhr – Schwimmbad
Meike: Samstag – halb vier – mit Papa – Tennisplatz
Leo: Samstag – halb drei – zum Training – Turnhalle

 ## 5 Rollenspiel

Stell dir vor, Lukas lädt dich ein.
Bereite zusammen mit deinem Partner ein Rollenspiel vor.
Überleg: Findest du Fußball interessant oder langweilig?
Möchtest du mitkommen oder nicht? Sprich so:

Ihr könnt auch eine Fotogeschichte daraus machen.
Macht Fotos und bearbeitet sie am Computer, z.B. mit Sprechblasen.

 Ich möchte nicht ... Ich finde ... langweilig.
... macht mir keinen Spaß.

 Ich möchte schon, aber ich kann nicht ...
Ich muss ... Ich gehe ...

 Super. / ... Ich komme ... mit. Ich mag ...

Kommst du mit ins Stadion?   Ich möchte schon, aber ...

## 6 Das Scheibenspiel

**a)** Jede Gruppe bastelt ein Scheibenspiel. Und so geht's:

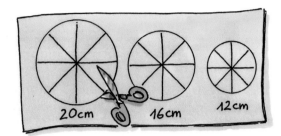 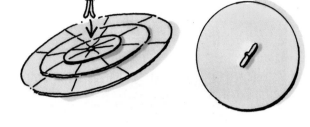

**1** Schneide drei Scheiben aus Karton aus: 20 cm, 16 cm und 12 cm. Zeichne auf jede Scheibe vier lange Linien.

**2** Leg die Scheiben aufeinander. Mach ein Loch in der Mitte und steck eine Briefklammer durch.

**3** Schreib auf die große Scheibe: auf den Sportplatz, ins Kino …

**4** Schreib auf die mittlere Scheibe: um zwei, um halb sechs …

**5** Schreib auf die kleine Scheibe: heute, am Montag …

**b)** So geht das Spiel:
Dreh die Scheiben. Zum Beispiel so:

Stell Fragen:
- ■ Wohin gehe ich? Ratet mal.
- ● …
- ■ Wann gehe ich in den Zoo?
- ▲ … (⚠ erst den Tag)
- ■ Um wie viel Uhr gehe ich in den Zoo?
- ◆ … (dann die Uhrzeit)
- ■ Wer weiß es noch?
- ✤ Du gehst am … um … in den Zoo.  oder  Am … um … gehst du in den Zoo.

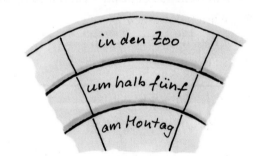

## 7 Spiel: Der lange Satz

| | |
|---|---|
| Das erste Kind: | Am Samstag |
| Das zweite Kind: | Am Samstag um vier |
| Das dritte Kind: | Am Samstag um vier gehe ich |
| Das vierte Kind: | Am Samstag um vier gehe ich ins Kino. |

## 8 Hören: Wer kommt mit?

**a)** Lies noch einmal den Dialog von Übung 4 und die Angaben.
Ein Kind möchte doch mit Lukas ins Stadion gehen. Wer ist es? Was glaubst du?
Begründe: Ich glaube, XX kommt mit. Er/Sie geht später/früher/am …

 1/12  **b)** Hör zu. Wer kommt mit?

**1** *Ein toller Nachmittag*

☆ **KINDER-ILLU PREISAUSSCHREIBEN** ☆

# Der erste Preis

Der glückliche Gewinner unseres Preisausschreibens heißt
**Lukas Ebner aus München.**

Er und sein Freund Arno waren am letzten Samstag beim Spiel ihrer Münchner Lieblingsmannschaft im Stadion. Unser Reporter Alex hat die beiden begleitet.

A

Lukas, der Gewinner des ersten Preises, und sein Freund Arno kommen ins Stadion.

B

In der Pause haben die Jungen Hunger. Sie essen Hotdogs und trinken Limo.

C

Hurra! 3:1. Die Münchner haben gewonnen. Das war ein super Spiel!

D

Und beide bekommen einen Ball. Da haben alle Spieler unterschrieben.

E

Lukas und Arno haben einen super Platz. Von hier aus können sie alles genau sehen.

F

Zum Schluss gibt Lukas unserem Reporter ein Interview.

G

Nach dem Spiel dürfen die beiden in die Spielerkabine. Lukas bekommt das Trikot des Torwarts.

H

Dann kommt noch der Trainer und unterschreibt auch.

**a)** Schau die Bilder an und bring die Geschichte in die richtige Reihenfolge: ? ? ? ? ? ? ? ?

**b)** Hör die Geschichte zur Kontrolle.    1/13    1 2 3 4 5 6 7 8

## 2 Hören: Interview mit Lukas

 **a)** Schau die Bilder von Übung 1 an. Nun hör zu. Was hat Lukas vergessen?

**b)** Diese Notizen hat sich der Reporter gemacht. Ordne die Notizen, das Interview hilft dir.

A  Spieler waren freundlich

ß  haben alles genau gesehen

N  einen Ball mit Autogrammen bekommen

A  haben in der Pause Hotdogs gegessen und Limo getrunken

R  haben alle Spieler kennengelernt

E  der Trainer ist gekommen

L  Spiel war toll

U  hatten einen super Platz

T  sind nach dem Spiel in die Spielerkabine gegangen

B  hatten Hunger

I  hat das Torwart-Trikot bekommen

L  die Münchner haben gut gespielt

R  hatten einen super Tag

F  sind ins Stadion gekommen

Lösung: Das möchte Lukas einmal werden:

| F | ? | ? | B | ? | ? | ? | ? | ? | ? | ? | ? | E | ? |
|---|---|---|---|---|---|---|---|---|---|---|---|---|---|
| 1 | 2 | 3 | 4 | 5 | 6 | 7 | 8 | 9 | 10 | 11 | 12 | 13 | 14 |

## 3 Lukas, der Superstar

**a)** Am Montag in der Schule. In der Pause muss Lukas von Samstagnachmittag erzählen. Du bist jetzt Lukas. Erzähl die Geschichte. Die Texte unter den Bildern von Übung 1 und die Notizen des Reporters helfen dir. Zu schwer? Dann mach zuerst Aufgabe b.

 **b)** Hör zu. Das hat Lukas erzählt.

**c)** Olaf hat wieder einmal nichts verstanden. Er fragt Lukas. Stell die Fragen:
Wann bist du ins Stadion gekommen? Um wie viel Uhr ...? Hast du ... gesehen?
Habt ihr ... kennengelernt? Seid ihr ... gegangen? usw.

## 4 Arno schreibt eine E-Mail

| Von : | arno@planetino_drei.de |
|---|---|
| An : | thomas@planetino_drei.de |

Lieber Thomas,
stell Dir vor, was mir passiert ist:
Mein Freund Lukas ⟨1⟩ Glück und hat den ersten Preis bei der Kinder-Illu ⟨2⟩ : zwei Karten für ein Fußballspiel hier in München. Er ⟨3⟩ mich eingeladen. Am Samstag um Viertel vor drei ⟨4⟩ er mich abgeholt. Wir ⟨5⟩ gleich ins Stadion gegangen. Wir ⟨6⟩ pünktlich da.
Ein Reporter ⟨7⟩ schon gewartet.
Wir ⟨8⟩ einen super Platz. Wir haben alles genau ⟨9⟩ .
In der Pause ⟨10⟩ wir Hotdogs ⟨11⟩ und Limo ⟨12⟩ . Wir ⟨13⟩ nämlich schon Hunger.
Der Reporter ⟨14⟩ alles bezahlt.
Das Spiel ⟨15⟩ toll. Die Münchner ⟨16⟩ sehr gut gespielt. Sie haben 3:1 ⟨17⟩ .
Nachher ⟨18⟩ wir in die Spielerkabine gegangen. Wir ⟨19⟩ die Spieler kennengelernt.
Alle Spieler ⟨20⟩ so freundlich. Lukas ⟨21⟩ das Torwart-Trikot bekommen.
Und wir beide ⟨22⟩ einen Fußball mit Autogrammen ⟨23⟩ . Ich ⟨24⟩ so glücklich!
Lukas natürlich auch. Ich ⟨25⟩ einen super Tag. Also, wir ⟨26⟩ einen super Tag!
Bis bald! Dein Arno

 **a)** Thomas liest die E-Mail seiner Oma vor. Hör zu und lies mit.

 **b)** Schreib Arnos E-Mail. Bei 🔵 musst du *war/en* oder *hatte/n* einsetzen.

## 1 Lesen: Anzeigen

**1**

### Kinder aufs Eis! – Eishockey für Kinder und Jugendliche

Im September beginnt die vierte „Eiszeit" beim Stuttgarter ESV. Jungen und Mädchen von vier bis 14 Jahren sind eingeladen, mit dabei zu sein, egal, ob sie schon Schlittschuh laufen können oder nicht. Anmeldung bei der Jugendleitung des Stuttgarter Eissportvereins: Tel. 0711/523882-944

**2**

### Kinder-Computerklub „Galaxia", Basel

Kurse täglich von 15 bis 18 Uhr, nicht am Dienstag. Wollt ihr die multimediale Welt des Computers und Internets kennenlernen, neue Spiel- und Lernprogramme testen, eure Club-Webseite gestalten und erproben? Anmeldung: www.galaxia-computerclub.ch

**3**

### Musikschule Cerny
Klavierunterricht
kostenlose Probestunde
Münzgasse 7/10
1030 Wien
Tel. 0676/599 74 82

**4**

### Leipziger Schachakademie
Schach macht schlau!
Kurse für Kinder, auch in den Ferien
**Infos und Anmeldung unter:**
info@leischach.de
www.leischach.de

**5**

### Radio Larifari
Kindernachrichten und mehr, täglich um 16.00 Uhr in Bremen auf UKW 89,5 / 88,4

**6**

### Ich sammle deutsche Briefmarken.
Ich suche deutsche Briefmarken **von 2000 bis 2003.**
Zum Tauschen habe ich Tierposter.
Schreibt an Daniel Stiller, Prinzenallee 80, D-13357 Berlin

**7**

### Kinder-Kultursommer
Der Kinder-Kultursommer ist ein Angebot für Kinder und Jugendliche aus Köln und Umgebung. Auf einer Wiese am Rhein gibt es vom 19. bis 30. Juli

Kultursommer

rund um eine Zirkuszeltstadt Kultur zum Mitmachen und Zuschauen.
Neben zahlreichen Auftritten kleiner und großer Künstler bieten wir Kindern zwei Wochen lang Workshops: z.B. Zirkus, Musical, Graffiti, Batik, eine Papierwerkstatt, eine Holzschnitzwerkstatt, Steinbildhauerei und vieles mehr.

Anmeldung, Infos und Programm unter www.kinderkultursommer.de

**a)** Such bekannte Wörter in den Anzeigen. Um was geht es in den Anzeigen?

1 Um Schule
2 Um Hobbys/Freizeit
3 Um Freunde

**b)** Lies die Aussagen. Wer interessiert sich für welche Anzeigen?
Achtung! Zwei Aussagen passen gar nicht.

 **Eva:** Ich mache so gern Musik. Gitarre kann ich schon ganz gut. Jetzt möchte ich auch noch Klavier lernen.

 **Franziska:** Ich kann schon ganz gut Schlittschuh laufen. Vielleicht sollte ich es mal mit Eishockey probieren?

 **Doris:** Ich sammle alles Mögliche: Briefmarken, Postkarten, Figuren und so weiter. Und natürlich Tierposter! Vielleicht habe ich ja die richtigen Briefmarken zum Tauschen.

 **Niko:** Ich höre sehr gern Radio. Das macht mir mehr Spaß als Fernsehen. Zum Glück gibt es ganz tolle Kinderprogramme.

 **Elias:** Ich fotografiere so gern. Vielleicht gibt es ja einen Foto-Workshop. Wenn nicht, gehe ich in den Graffiti-Kurs.

 **Rosi:** Ich finde alles interessant, was mit Computern zu tun hat. Besonders gern surfe ich im Internet.

 **Mara:** Ich sammle Briefmarken, aber nur aus Österreich und der Schweiz. Deutsche Briefmarken finde ich nicht so interessant.

 **Tobias:** Ich suche eine Musikschule. Ich möchte nämlich Schlagzeug lernen. Meine Eltern finden das nicht so toll. Das ist zu laut, sagen sie.

 **Udo:** Ich glaube, Schach ist ein tolles Spiel. Das möchte ich unbedingt lernen. Leider spielt niemand in unserer Familie Schach.

Ordne die Anzeigen den Aussagen zu. Notiere die ersten Buchstaben der Namen.
So weißt du: Das ist Sofias Lieblingshobby: ❓ ❓ ❓ ❓ ❓ ❓ ❓ treffen
① ② ③ ④ ⑤ ⑥ ⑦

**c)** Beantworte die Fragen.

1   Was kann man beim Stuttgarter ESV machen?
2   Wann ist der Computerclub offen?
3   Wo ist die Musikschule?
4   Was kann man in der Schachakademie lernen?
5   Um wie viel Uhr ist die Sendung „Radio Larifari"?
6   Wer sammelt Briefmarken?
7   Wann ist der Kinder-Kultursommer?

**d)** Was ist dein Lieblingshobby?
Welche Anzeige von Übung 1 findest du interessant? Und warum?
Sprich so: Ich finde Anzeige Nummer XX interessant. Ich … nämlich …

## 2  Um wie viel Uhr?

**a)** Ordne die Uhren den Sätzen zu.

1. Radio Larifari kommt immer um 16.00 Uhr.
2. Das Fußballspiel beginnt um 15.30 Uhr.
3. Jakob geht um 17.00 Uhr ins Popkonzert.
4. Der Computerclub macht um 18.00 Uhr zu.
5. Leo geht um 14.30 Uhr in die Turnhalle.
6. Lukas holt Arno um 14.45 Uhr ab.

**1/17**  **b)** Hör zu und vergleiche.

Lösung: ? ? ? ? ? ?
1 2 3 4 5 6

## 3  Die Ich-stelle-mich-vor-Karte

**a)** Schreib so eine Karte:
Ergänze die Karte mit deinen persönlichen Angaben.
Lass unten Platz frei für später.

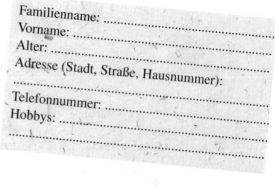

Familienname: ..................
Vorname: ..................
Alter: ..................
Adresse (Stadt, Straße, Hausnummer):
..................
Telefonnummer: ..................
Hobbys: ..................

**b)** Zehn Schüler lesen ihre Ich-stelle-mich-vor-Karte vor.
Sprich so:   Mein Name ist / Ich heiße …
Ich bin … Jahre alt.
Ich wohne in (Stadt, Straße, Hausnummer)
Meine Telefonnummer ist …
Meine Hobbys sind …

**c)** Ratespiel:
Die zehn Ich-stelle-mich-vor-Karten einsammeln und mischen.
Ein Spielleiter zieht eine Karte und nennt die Hobbys:

Er/Sie fährt/spielt/liest/ … gern. Wer ist das?
Wenn diese Information nicht reicht, gibt der Spielleiter die
Telefonnummer an, dann die Hausnummer, dann …

Er fährt Skateboard
und …

**d)** Leg die Ich-stelle-mich-vor-Karte in dein Portfolio.

## 4  Laute und Buchstaben

**1/18**  **a)** Hör zu und lies mit.
Straße – süß – groß – weiß – heißen – Fuß – Grüße
Adresse – Klasse – bisschen – müssen – essen – Wasser

**b)** Den Laut vor ß sprichst du lang:   Spaß
Den Laut vor ss sprichst du kurz:   Tasse

Spaß    Tasse

**1/19**  **c)** Lies laut. Dann hör zu.
Wir müssen die Großmutter grüßen. Herr Weiß hat dreißig Fußbälle. Meine Adresse ist:
Wasserstraße dreißig. Weißt du das? Das musst du doch wissen! Fußballspielen macht Spaß.

## 5 Theo, der Rätsel-Fan

**a)** Theo ist der totale Rätsel-Fan. Rätselraten ist Theos Lieblingshobby. Er löst alle Rätsel in der Zeitung und sieht auch alle Quiz-Sendungen im Fernsehen. Theo erfindet aber auch gern selbst Rätsel. Hier ist sein neuestes Rätsel. Schreib den angegebenen Buchstaben auf.

1   Es ist ein Musikinstrument. Es ist sehr laut.   (6. Buchstabe)

2   Man braucht eine Kamera. Na, welches Hobby ist das?   (9. Buchstabe)

3   Da kann man sich sehr schnell informieren, über alle möglichen Themen.   (3. Buchstabe)

4   Bei diesem Spiel braucht man schwarze und weiße Figuren. Das Spielfeld ist schwarz und weiß.
     (4. Buchstabe)

5   Man braucht nicht die Augen dazu, sondern nur die Ohren und viel Fantasie. Es gibt Musik,
     aber auch Sportinformationen, Nachrichten und so weiter. Was ist das?   (1. Buchstabe)

6   Es ist ein Musikinstrument und ziemlich groß. Man spielt auf schwarzen und weißen Tasten.
     (7. Buchstabe)

7   Dieses Spiel spielt man vor allem im Winter, aber meistens in der Halle. Es ist sehr schnell.
     (1. Buchstabe)

 **b)** Hör zu. Theo erklärt die Lösung.

## 6 Rätsel selbst machen

Mach ein Rätsel für deinen Partner.

Beispiel:     Da kann man Clowns und Akrobaten sehen. Was ist das? oder
              Da sieht man Clowns und Akrobaten. Was ist das? (sukriZ)
              Man braucht Schere, Papier … Welches Hobby ist das? (nletsaB)

Ebenso mit:  Zoo, Reithalle, Ballettschule, Lesen, Malen …

## 7 Zu welcher Jahreszeit macht man diese Hobbys?

Frühling          Sommer              Herbst              Winter

Mach Sätze.

| Im Frühling | |
| Im Sommer | |
| Im Herbst | kann man |
| Im Winter | |
| Im Frühling, Sommer und Herbst | |

Sprich so:  Im Winter kann man Schi fahren.

Oder so:    Lesen kann man immer, im Frühling, im Sommer, im Herbst und im Winter.

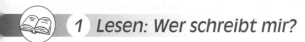

# Lektion 44
## Brieffreund gesucht!

**1 Lesen: Wer schreibt mir?**

---

Hi! Ich heiße Amelie und bin 11 Jahre alt. Meine Hobbys sind: Lesen, Freunde treffen, Inlineskates fahren und Brieffreunden schreiben.
Wenn Ihr zwischen 10 und 12 Jahre alt seid, dann schreibt an
Amelie Schwermer
Anklamerstr. 24
D-17489 Greifswald

---

Hi! Ich (10) suche Brieffreunde zwischen 9 und 12 Jahren aus der ganzen Welt. Meine Hobbys sind: Velo fahren, Zeichnen, Lesen, Musik hören, Briefe schreiben. Ich schreibe 100%-ig zurück.
Leo Pirovino
Bongertrechtiweg 32
CH-7208 Malans
(Anm. d. Red.: Velo fahren = Rad fahren)

---

Hallo. Ich (12) suche eine Brieffreundin oder einen Brieffreund. Alter ist egal.
Meine Hobbys:
Lesen, Karate, Freunde treffen und Briefe schreiben. Bitte schreibt an
Tobias Rech
Bürgermeister-Kraus-Straße 2
D-82223 Eichenau

---

Hi! Ich (11) suche eine Brieffreundin / einen Brieffreund im Alter von 10-12 Jahren.
Meine Hobbys sind: Ballett, Klavier spielen, Schwimmen, Zeichnen und und und. Mehr über mich erfahrt Ihr, wenn Ihr mir mit Foto schreibt.
Eva-Maria Kolasch
Mozartplatz 2a
A-2500 Baden

---

Hallo zusammen! Ich (10) suche Brieffreunde zwischen 7 und 14 Jahren, egal ob Jungen oder Mädchen. Meine Hobbys sind: Ballett, Reiten, Musik hören und lange telefonieren. Also, wer möchte mir schreiben? Bitte mit Foto an
Tamina Buck
Bohler Str. 6
CH-6221 Rickenbach

---

**a)** Beantworte die Fragen.

1 Wie viele Anzeigen kommen aus Deutschland? Aus Österreich? Aus der Schweiz?
2 Welche Hobbys kommen besonders oft vor?
3 Welche Hobbys sind nur einmal genannt?
4 Wie viele Hobbys hat Leo?
5 Wo wohnt Amelie?
6 Wer macht gern Karate?
7 Wer zeichnet gern?
8 Wie ist Taminas Familienname?
9 Woher kommt Eva-Maria? Aus Österreich oder aus der Schweiz?

**b)** Welche Anzeige interessiert dich? Schreib einen Brief und stell dich vor.
Sag vor allem etwas über deine Hobbys.
Denk an den Briefanfang, die Grüße und den Schluss!

Ort, Datum

Liebe/Lieber …,

Viele Grüße / Liebe Grüße
Dein/Deine …

## 2 Welche Hobbys macht ihr am liebsten?

**a)** Schreibt eine Liste mit verschiedenen Hobbys an die Tafel.
Nun braucht ihr die Ich-stelle-mich-vor-Karten aus Lektion 43 Übung 3.
Ein Kind liest vor. Wer hat das Hobby? Ein Junge oder ein Mädchen? Macht Kreuzchen.
Beispiel:

| Mädchen | Hobby | Jungen |
|---|---|---|
| X X X X X | Lesen | X X |
| X X X | Reiten | X |
| X | Basketball | X X X X |
| X X X X X | im Internet surfen | X X X X X |
| X X X | Fußball | X X X X X X X |

Sprecht in der Klasse über die Tabelle. Sprecht so:

Die Mädchen lesen am liebsten. Die Jungen … am liebsten Fußball.
Mädchen … gern. Jungen … lieber Basketball.
Mädchen und Jungen … gern im …

**b)** Ihr könnt auch eine Umfrage in den anderen Klassen machen.

## 3 Lied: Ferdi, der Fernseh-Fan

1   Kennt ihr Ferdi? Er hat nur ein Hobby.
Er bleibt zu Hause und sieht fern.
Er möchte fernsehen, im Sommer und im Winter.
Fernsehen, fernsehen, fernsehen, Tag und Nacht.

2   Und ein Freund sagt: Komm, wir spielen Fußball.
Da sagt Ferdi: Ich habe keine Lust.
Ich möchte fernsehen, im Sommer und im Winter.
Fernsehen, fernsehen, fernsehen, Tag und Nacht.

3   Und die Schwester sagt: Komm, wir gehen ins Kino.
Da sagt Ferdi: Ich habe keine …

Mach weitere Strophen:

Bruder, Freundin, Cousin …
Komm, wir spielen Tennis/…
Komm, wir gehen in den Zirkus / ins Schwimmbad / in die Reithalle / …
Komm, wir fahren Skateboard/…

17

An die Klasse 3a
Erich-Kästner-Grundschule
Menzelstraße 9
                                                    Donnerstag, den 26. November

Liebe Klasse 3a,
Eure Lehrerin ist meine Freundin, und sie hat mir gesagt, dass Ihr eine Partnerklasse
sucht. Meine Klasse 3b von der Astrid-Lindgren-Schule möchte Euch gern kennenler-
nen. Alle wollen Euch Briefe schreiben und Euch vielleicht auch einmal besuchen.
Wir freuen uns schon.
Eure Gesine Tappe, Lehrerin der 3b

*Liebe Klasse 3a,*
*wir sind 27 Kinder, davon 15 Jungen. Wie viele Mädchen sind in der Klasse?*
*Euer Leo*

Liebe Mädchen der Klasse 3a,
wir kennen eine Geheimschrift. Die Jungen können sie nicht lesen.
Habt Ihr auch eine?
Eure Lisa und Mareike

Liebe Klasse 3b,
wir haben uns sehr gefreut über die Briefe. Wir wollen Eure Partnerklasse sein.
Wir sind 25 Kinder. Davon sind 12 keine Mädchen.
Was sind Eure Hobbys? Schreibt uns doch. Und das sind unsere Hobbys. Jetzt müsst Ihr
raten:

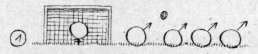

① ...

② ...          ⑤ ...

③ ... Flöte     ⑥ ...

④ ... Geige     ⑦ ...

Fast alle mögen Musik. Was ist Eure Lieblingsband?
Max, Marcel, Ahmed und Kevin sind in einer Fußballmannschaft. Julia spielt auch oft mit.
Sie ist sehr gut in Fußball.
Was spielen Eure Mädchen am liebsten?
Habt Ihr einen Computer? Könnt Ihr ins Internet? Habt Ihr E-Mail? Wir leider noch nicht.
Schreibt bald zurück.
Eure 3a

*(nach Gundel Mattenklott)*

**a)** Welche Sätze sind richtig?

**1** Die Klasse 3a der Erich-Kästner-Schule und die 3b der Astrid-Lindgren-Schule sind jetzt Partnerklassen.

Sie schreiben in Geheimschrift. **H**
Sie schreiben nicht gern Briefe. **G**
Sie schreiben sich Briefe. **B**

**2** Die Klasse 3b sagt:

Unser Lehrer heißt Erich Kästner. **E**
Unsere Lehrerin heißt Astrid Lindgren. **L**
Unsere Lehrerin heißt Gesine Tappe. **R**

**3** In der 3b sind    27 Mädchen. **U**
15 Mädchen. **A**
12 Mädchen. **I**

**4** In der 3a gibt es    12 Mädchen. **T**
13 Mädchen. **E**
25 Mädchen. **R**

**5** Eine Band    macht Musik. **F**
spielt Fußball. **S**
schreibt E-Mails. **L**

Lösung: **?** **?** **?** **?** **?**
**1** **2** **3** **4** **5**

**b)** Lös das Hobby-Rätsel der 3a. Sprich so:
Fünf Kinder spielen gern Fußball. Ein Kind spielt …

**c)** Antworte der Klasse 3a.
Mach ein Hobbyrätsel für deine Klasse. Du kannst die Tabellen aus Übung 2 verwenden.

## 5 Miteinander reden

Macht Gruppen. Schreibt Karten zum Thema „Freizeit".

| FREIZEIT<br>Orte | FREIZEIT<br>Jahreszeit | FREIZEIT<br>Hobby |
|---|---|---|

Legt die Karten verdeckt auf den Tisch.
Eine Karte nehmen, fragen und antworten.

Wohin gehst du am Wochenende?

Ins Kino.

**Beispiel: Jahreszeit**
● Was machst du im Winter?
■ Ich fahre Schi.

**Beispiel: Hobby**
● Was ist dein Lieblingshobby?
■ Klavier spielen.

### einladen

Kommst du mit? Hast du Lust?

### ablehnen

Tut mir leid. Ich habe keine Zeit.

### Vorlieben ausdrücken

Mein Lieblingshobby ist … – Ich spiele gern Schach. Ich … am liebsten … Ich finde … interessant. Ich … nämlich …

### sich vorstellen

Ich heiße / Mein Name ist … – Ich bin … Jahre alt. – Ich wohne in Kleve, Bahnhofstr. 26. – Stadt, Straße, Hausnummer – Meine Telefonnummer ist … – Meine Hobbys sind …

### Ort angeben

Wohin geht Maja? In den Zoo.

### Uhrzeit

14.00 Uhr, also zwei Uhr – 15.30 Uhr, also halb vier

### Freizeitorte

Zoo, Zirkus, Tennisplatz, Sportplatz, Spielplatz, Skatepark,
Theater, Schwimmbad, Kino, Eiscafé, Stadion, Popkonzert,
Turnhalle, Ballettschule, Musikschule, Reithalle

### Hobbys

Eishockey/Klavier/Schach spielen, (im) Internet (surfen), Radio hören, fotografieren, Postkarten/Briefmarken sammeln

### Jahreszeiten

Frühling, Sommer, Herbst, Winter

**1**

| in den | ins | in die |
|---|---|---|
| Zoo | Theater | Turnhalle |
| Skatepark | Schwimmbad | Ballettschule |
| | Kino | Musikschule |
| auf den | Eiscafé | Reithalle |
| Tennisplatz | Stadion | |
| Sportplatz | Popkonzert | |

**2** Ich gehe am Samstag um vier ins Stadion.
Am Samstag um vier gehe ich ins Stadion.

**3** Ich **habe** den ersten Preis gewonnen.
Du **hast** alles gesehen.
Arno **hat** einen Ball bekommen.
Wir **haben** Hotdogs gegessen.
Ihr **habt** die Spieler kennengelernt.
Die Münchner **haben** gut gespielt.

Ich **bin** ins Stadion gegangen.
Wann **bist** du ins Stadion gekommen?
Der Trainer **ist** gekommen.
Wir **sind** in die Spielerkabine gegangen.
**Seid** ihr in die Spielerkabine gegangen?
Die Spieler **sind** gekommen.

**4**

| | sein | haben |
|---|---|---|
| ich | war | **hatte** |
| du | | |
| er/es/sie | war | **hatte** |
| wir | **waren** | **hatten** |
| ihr | | |
| sie | **waren** | **hatten** |

Ich war so glücklich!
Alle Spieler waren freundlich.

Ich hatte einen super Tag.
Wir hatten Hunger.

**5** Im Winter kann **man** Schi fahren.
**Man** braucht eine Kamera. Welches Hobby ist das?

**6** **im** Frühling, **im** Sommer, **im** Herbst, **im** Winter

**7**

| unser/euer | unser/euer | unsere/eure | unsere/eure |
|---|---|---|---|
| Lehrer | Klassenzimmer | Schule | Freunde |

# Ferien

## 1 Comic

**a)** Schau die Comics an. Was sagen die Personen? Was glaubst du?

## 2 Comic

**b)** Wohin gehören die Sätze?

**c)** Hör zu und lies mit.

1/23-24

Da ist eine Kuh. • Brötchen, Saft, Obst und sogar einen Kuchen. •
Oh, schon so spät! • Die Kuh hat den Kuchen gefressen! • Danke.
Das ist nett. • He! Gib sofort den Kuchen her! • Und ich habe
Durst. • **Ich** will doch nach Köln fahren. • Mama, ich habe
Hunger. • Hallo! Wohin willst du denn? • Die macht nichts.

# Lektion 45
## Endlich Ferien!

**1  Wohin fahrt ihr denn?**

an einen See

ans Meer

auf eine Insel

in die Berge

an einen Fluss

aufs Land

in eine Stadt

in die Schweiz

nach Berlin

nach Österreich

zu Oma und Opa

**a)** 1/25-30  Hör die Szenen. Wovon handeln sie?

    **1** Schule
    **2** Ferien
    **3** Winter

**b)** 1/25-30  Hör die Szenen einzeln und schau die Bilder an.
Zu Szene 1 passt Bild 1, 2, 3 oder 4?    Zu Szene 4 passt Bild 5, 6, 7 oder 8?
Zu Szene 2 passt Bild 1, 2, 3 oder 4?    Zu Szene 5 passt Bild 9, 10 oder 11?
Zu Szene 3 passt Bild 5, 6, 7 oder 8?    Zu Szene 6 passt Bild 9, 10 oder 11?

**c)** 1/31  Hör zu, zeig mit und sprich nach.

**d)** 1/32  Hör die Tamburin-Sätze und ergänze.

**e)** Wohin möchtet ihr fahren? Und warum? Wohin fahrt ihr in den Ferien?
Sprecht darüber in der Klasse.

**2** *Anzeigen*

A **Reiterferien auf dem Bauernhof**

* Erlebnisferien für Kinder ab 6 Jahren
* Pferde und Ponys, tägl. Reitunterricht
* Schwimmbad, Tischtennis, Kicker
* für Familien oder Gruppen geeignet

Weerberg/Tirol www.hof-tirol.at

B

**Englisch-Camp**

Sprachkurse für 7–17-Jährige von Juni bis August

Ferienorte z.B. Engelberg oder Spiez am Thunersee; vormittags Unterricht, nachmittags Sport,

**Spiel und Spaß!**

Informationen unter Tel. +41 33 665 4102

C  **Insel Sardinien**

**Camping Europa** im schattigen Pinienwald, an einem 600 Meter langen Strand;
Pizzeria, Supermarkt, Kiosk, Kinderspielplatz
**Miniclub für Kinder von 5 bis 12**
Volleyballplatz, Tennisplatz, Surfschule, Wasserschi

www.campeurop.it

D **Ferien im Weltraum! Besuchen Sie Planetanien!**
Sonderangebote für Familien mit Kindern. Infos unter www.weltraum-ferien.com

**a)** Welche Anzeigen finden die Kinder interessant?
Vorsicht! Nicht für alle passen die Anzeigen.
Lisa möchte an einen See fahren. – Jan möchte auf eine Insel. – Sofia möchte nach Österreich. – Sara möchte in den Ferien surfen lernen. – Milan möchte besser Deutsch lernen. – Mario möchte einmal Astronaut werden. – Julia hat eine Vier in Englisch.

**b)** Lies die Anzeige A und die Aufgaben. Was ist richtig?

| | | | |
|---|---|---|---|
| **1** In der Anzeige geht es um | ? Sprachen | ? Schule | ? Ferien |
| **2** Wer kann kommen? | ? Kinder | ? Pferde | ? Ponys |
| **3** Was kann man da machen? | ? Pferde kaufen | ? Reiten | ? Tennis spielen |

**c)** Lies die Anzeige B und die Aufgaben. Was ist richtig?

| | | | |
|---|---|---|---|
| **1** In der Anzeige geht es um | ? Sport und Ferien | ? Englischkurse | ? Berge und Seen |
| **2** Wann? | ? Im Winter | ? Im Frühling | ? Im Sommer |
| **3** Wann ist Unterricht? | ? Von 9–12 Uhr | ? Von 14–17 Uhr | ? Von 18–21 Uhr |

 **3** *Dialoge*

**1** ▲ Fliegt ihr eigentlich nach Sardinien?
**2** ▲ Dein Bruder und du, fahrt ihr mit dem Rad an den Bodensee?
**3** ▲ Ihr fahrt doch in die Schweiz. Fahrt ihr mit dem Auto oder mit dem Zug?

*Plan vacation in notebook for homework*

M ● Mit dem Fahrrad? Bist du verrückt? Das sind 100 Kilometer! Nein, wir fahren mit dem Zug.
O ● Fünf Personen mit dem Flugzeug? Nein, das ist zu teuer. Wir fahren mit dem Auto und dem Schiff.
A ● Mit dem Zug. Das ist doof. Da kann ich nämlich nicht viel Gepäck mitnehmen.

 5

**a)** Wie passen die Teile zusammen? ? ? ? Hör die Dialoge zur Kontrolle.
**b)** Wie fahren die Leute in Dialog 1, 2 und 3 in die Ferien?

1

mit dem Zug

2

mit dem Schiff

3
mit dem Auto

4
mit dem Fahrrad

mit dem Flugzeug

## 4 Interview-Spiel

**a)** Schreibt an die Tafel: an einen See – ans Meer – auf eine Insel usw. wie in Übung 1.

Schreibt weiter: nach Hongkong / nach New York … – nach Deutschland / nach Australien … – zu Tante Eva / zu Onkel Simon / zu Niko …

Schreibt Zahlen davor.

| | | | |
|---|---|---|---|
| 1 an einen See | 5 ans Meer | 9 in eine Stadt | 13 in die Berge |
| 2 an einen Fluss | 6 aufs Land | 10 auf eine Insel | 14 nach Berlin |
| 3 nach Österreich | 7 nach Australien | 11 in die Schweiz | 15 zu Oma |
| 4 nach Deutschland | 8 nach New York | 12 zu Tante Eva | 16 zu Niko |

**b)** So geht das Spiel:

Jedes Kind schreibt einen Satz auf ein Blatt.   Beispiel:
Die anderen dürfen den Satz nicht sehen. Jetzt gehen alle Kinder mit dem Blatt und einem Bleistift in der Klasse herum und fragen.

Ich fahre in die Schweiz.

Tobias, wohin fährst du?

Ans Meer.

Wer hat als Erster sechs Antworten?
Er ruft: „Ich bin fertig."

Ich fahre in die Schweiz.
Tobias 5
Liliana 14
Florian 9
Sara 1
Lilly 3
Jens 7

Jana sucht die Nummer an der Tafel
und schreibt:
Tobias 5

Tobias fährt ans Meer.

Richtig.

## 5 Lesen: 3000 Kilometer auf dem Skateboard

Einmal durch Australien reisen, vom Süden bis zum Norden – das ist ein echtes Abenteuer. Vor allem, wenn man ein ungewöhnliches Fortbewegungsmittel nutzt. Der Deutsche Dirk Gion legt die knapp 3000 Kilometer auf einem Skateboard zurück, das ein Drachen zieht. Sein Gepäck trägt er im Rucksack; zum Schlafen legt sich Dirk an den Straßenrand. Am Ende braucht er für die Strecke 17 Tage.

**a)** Schau das Bild an.
Zu welchem Satz im Text passt es?

**b)** Was ist richtig? Was ist falsch?

1 Australien ist von Norden nach Süden
3000 Kilometer lang.

2 Dirk Gion kommt aus Australien.

3 Dirk fährt auf einem Drachen.

4 Er hat seine Sachen in einem Rucksack.

5 Er schläft an der Straße.

6 Dirk fährt in 17 Tagen durch Australien.

**1  Hören: Was muss ich einpacken?**

 **a)**  Hör die Nachricht und schau die Bilder an.

**b)**  Hör die Nachricht noch einmal. Lies dazu die Aufgaben. Was ist richtig?

**1**  Wann fährt Tanja in die Ferien?

am Freitag

am Samstag

am Sonntag

**2**  Wohin fährt sie?

in die Berge

aufs Land

ans Meer

**c)**  Was sagt Gisi? Was glaubst du? Sprich so:

Du fährst doch ... Nimm einen Bikini mit. Pack auch
viele T-Shirts ein. … und vielleicht …, aber kein …

| | | | |
|---|---|---|---|
| Rock | Hemd | Bluse | Schuhe |
| Mantel | Kleid | Hose | Jeans |
| Schal | Tuch | Jacke | Stiefel |
| Pulli/Pullover | T-Shirt | Mütze | Handschuhe |
| Bikini | | | |

**2  So ein Quatsch!**

Ich fahre nach Italien.
Da ist es warm. Deshalb
nehme ich einen Pullover,
Stiefel und Handschuhe mit.

Ich fahre in die Berge. Da
regnet es manchmal. Deshalb
nehme ich T-Shirts, einen
Rock und eine Bluse mit.

Ich fahre nach Island. Da
ist es kalt. Deshalb nehme
ich Jeans und einen
Regenmantel mit.

 **a)**  Die Kinder haben ihre Sachen vertauscht. Mach den Quatsch richtig. Dann hör zu.

**b)**  Mach weitere Quatschtexte und mal ein Bild dazu. Leg das Blatt in dein Portfolio.

## 3 Schreibspiel

**1** Jeder Mitspieler hat ein Blatt. Schreib auf das Blatt:
Ich fahre/fliege nach … / in die … / an …

**2** Falte das Blatt nach hinten um. Gib das Blatt nach links weiter.

**3** Schreib nun: Da ist es warm/kalt. oder Da regnet es
oft/manchmal.

**4** Falte das Blatt wieder um und gib es nach links weiter.

**5** Schreib nun: Deshalb nehme ich … mit. oder
Deshalb packe ich … ein.

**6** Mach das Blatt auf.
Wer hat den schönsten Quatsch?

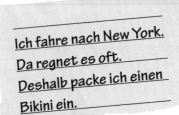

Ich fahre nach New York.
Da regnet es oft.
Deshalb packe ich einen
Bikini ein.

## 4 Ich will aber!

▲ Was ist das denn?

● Ich nehme den Teddy mit.                                 Wir nehmen den Papagei mit.

▲ Wie bitte?

● Ich möchte den Teddy mitnehmen.                  Wir möchten …

▲ Tommy, du kannst doch den Teddy nicht mitnehmen.   Kinder, ihr könnt …

● Ich will ihn aber mitnehmen.                        Wir wollen ihn aber …

▲ Tut mir leid, Tommy. Der Teddy muss dableiben.     Tut mir leid, Kinder, …

● Ich will den Teddy aber unbedingt mitnehmen.      Wir wollen …

■ Was ist denn los?

▲ Tommy will unbedingt den Teddy mitnehmen.       Die Kinder wollen …

■ Was willst du? Den Teddy mitnehmen?           Was wollt ihr? …
Nein, Tommy, das geht nicht.                       Nein, Kinder, …

● Ohne den Teddy fahre ich nicht mit.             Ohne den Papagei fahren wir …

■ Ach, Tommy.                                   Ach, Kinder.

▲ Wir können doch das Pferdchen mitnehmen.      Frau Meier füttert doch den …

● Na gut.

 **a)** Hör zu und lies mit.

 **b)** Macht den Papagei-Dialog. Dann hört den Dialog zur Kontrolle.

**c)** Macht weitere Dialoge:   Lena – Fahrrad → Ich will es aber … – Ohne das Fahrrad … – Inlineskates
                               Kinder – Katze → Wir wollen sie aber … – Ohne die Katze …

**5  Satzkarten-Spiel**

Schreib auf eine Karte so einen Satz:

| Ohne den/meinen/das/mein/die/meine … | gehe/fahre/… | ich nicht … |

Schneide die Karte hier auseinander:   Ohne mein Skateboard   gehe ich nicht in den Skatepark.

Die beiden Kartenteile in zwei Stapeln einsammeln. Jeden Stapel mischen.

Je eine Karte ziehen und vorlesen.   Ohne mein Skateboard   gehe ich nicht schwimmen.

 **6  Hören: Auf dem Bahnhof**

**1/40**   a)  Hör zu und schau das Bild an.

**1/41**   b)  Lies die Wörter im Bild. Nun hör zu und zeig auf dem Bild mit.

c)  Beantworte die Fragen.

1  Ist die Familie auf dem Bahnhof oder auf dem Flughafen?

2  Fährt die Familie ab oder kommt sie an?

3  Sieht Lisa auf dem Fahrplan oder auf dem Stundenplan nach?

4  Kauft die Mutter die Fahrkarten am Automaten oder am Kiosk?

5  Warten die Leute auf dem Bahnsteig oder auf dem Gleis?

6  Fährt der Zug auf Gleis 3 oder auf Gleis 4 ab?

 **7  Lesen: Witze**

1  Familie Müller fährt in die Ferien. Am Bahnhof kontrolliert der Vater noch einmal das Gepäck: „Drei Taschen, zwei Rucksäcke. Alles da." – „Nein", sagt Martin, „der Tisch ist nicht da." „Der Tisch?", fragt der Vater. „Na ja", sagt Tina, „der Tisch. Da sind nämlich die Fahrkarten."

2  Herr Wart fährt weg. Die Familie kommt mit zum Bahnhof und wartet am Bahnsteig, bis der Zug abgefahren ist. Kurz danach fährt auf dem gleichen Bahnsteig ein anderer Zug ein. Da sagt Kevin: „Sieh mal, Mama. Der Zug kommt wieder. Papa hat sicher was vergessen."

3  Josef läuft ganz schnell zum Bahnsteig und ruft: „Den Zug um 10.37 Uhr, bekomme ich den noch?" – „Na ja", sagt der Bahnbeamte. „Wie schnell kannst du laufen? Der Zug ist nämlich gerade abgefahren."

Zu welchen Witzen passen die Bilder?

### 1  Auf dem Campingplatz

**1/42** **a)** Hör zu und schau den Plan an.

**b)** Was bedeuten die Zeichen? Ordne die Piktogramme den Wörtern zu.

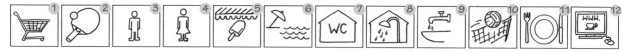

| R  Kiosk | A  Volleyballplatz | N  Tischtennisplatte | E  für Frauen |
| I  Supermarkt | C  Waschplatz | T  Dusche | T  für Männer |
| N  Strand | F  Restaurant | E  Toilette | |

Das Lösungswort sagt dir, was in Nummer 12 ist:  ? ? ? ? ? ? ? ? ? ? ? E

**1/43** **c)** Hör zu und zeig auf dem Plan mit.   1 2 3 4 5 6 7 8 9 10 11 12

### 2  Wo ist denn …?

**1/44**

▲ Wo wart ihr denn?

● Wir sind ein bisschen rumgelaufen. Hier gibt es sogar einen Supermarkt.

▲ Wo ist der denn?

● Pass auf, Mama. Das ist ganz leicht. Wir sind jetzt hier am Eingang. Du gehst geradeaus bis zur nächsten Straße und dann links.

■ Hallo, Papa, wo warst du denn?

◆ Ich habe die Toiletten gesucht, aber nicht gefunden.

■ Ach Papa. Du gehst geradeaus bis zur zweiten Straße und dann rechts. Ganz einfach!

Schau den Plan oben an und mach weitere Dialoge:

bis zur nächsten/zweiten/dritten/vierten Straße

geradeaus

 links    (geradeaus)   rechts

### 3  Spiel: rechts – links – geradeaus

Immer zwei Kinder stehen dicht hintereinander.
Kind 1 hat die Augen verbunden.
Kind 2 führt das andere Kind durch die Klasse und flüstert dabei:
geradeaus – halt – rechts – halt – ein bisschen geradeaus – halt – links – …
Alle Kinder gehen gleichzeitig, aber niemand darf anstoßen!

## 4 Schatzsuche

1 Hallo, Kinder! Wir haben für Euch eine Schatzsuche vorbereitet. Viel Spaß! Eure Eltern. Hier ist der erste Hinweis: Geht 350 Schritte geradeaus nach Osten. Da steht ein Baum. Hier findet Ihr den zweiten Hinweis.

2 Geht 282 Schritte nach links, also nach Norden. In den Blumen findet Ihr den dritten Hinweis!

3 Geht 525 Schritte nach rechts, also nach Osten. Da steht ein Haus. Da findet Ihr den vierten Hinweis.

4 Geht 190 Schritte nach Süden bis an den Fluss. Da ist der fünfte Hinweis.

5 Geht über den Fluss und 410 Schritte nach Osten. Da ist ein Wald. Da findet Ihr den sechsten Hinweis.

6 Geht 635 Schritte nach links, also nach Norden. Da kommt Ihr an den Strand. Am Liegestuhl findet Ihr den siebten Hinweis.

7 Geht 1000 Meter nach Westen. Da findet Ihr den Schatz!

Wo ist der Schatz? Such den Weg auf dem Plan.

## 5 Viele Zahlen

**1/45** a) Hör zu, sprich nach und zeig mit.

| | | | | | | |
|---|---|---|---|---|---|---|
| 100 (ein)hundert | 400 | 700 | 1000 (ein)tausend | 105 | 423 | 736 |
| 200 zweihundert | 500 | 800 | | 254 | 517 | 849 |
| 300 dreihundert | 600 | 900 | | 365 | 687 | 951 |

**1/46** b) Hör zu und schreib die Zahlen.

## 6 Spiel: vorn – Mitte – hinten

Spielt in Gruppen. Jede Gruppe hat einen Würfel. Jeder Spieler hat ein Blatt und macht drei Striche ___ ___ ___ . Ein Spieler würfelt, zum Beispiel 5. Jeder Spieler schreibt 5 auf das Blatt, vorn _5_ __ __, in der Mitte ___ _5_ ___ oder hinten ___ ___ _5_ .
Dann würfelt der Nächste, zum Beispiel 4. Jeder Spieler schreibt die Zahl auf. Dann würfelt der dritte Spieler, zum Beispiel 2. Alle schreiben 2, wo noch Platz ist. Alle lesen ihre Zahl vor. Wer hat die größte Zahl? Ein Punkt.

## 7 Kennenlernen

▲ Hallo, möchtet ihr mitmachen?

●   1

■ Na ja, wollt ihr mitspielen?

◆   2

■ Ja klar! Wir spielen Tischtennis. Wollt ihr mitspielen?

▲ Ihr seid wohl keine Deutschen.

● Nein, ich komme aus Italien.

■   3

◆ Und ich bin Engländerin.

▲ Woher kommst du? Aus England? Und du sprichst Deutsch! Warst du schon mal in Deutschland?

◆ Nein, aber ich lerne Deutsch in der Schule. Ich heiße Peggy.

▲ Julia, und das ist meine Schwester Anke.

● Ich bin Antonio.

■ Was ist jetzt? Spielen wir?

◆   4

▲ Tischtennis.

●   5

▲ Tisch-tennis.

◆/● Tischtennis.

▲ Bravo!

■ Also los jetzt!

 1/47   **a)** Ergänze das Gespräch. Zu schwer? Dann hör zu.

1/47   **b)** Hör noch einmal genau zu und lies die Sätze. Was sagen die Kinder?

> **1** Das verstehe ich nicht.
> Entschuldigung, wie bitte?
> Wie bitte?

> **4** Wie sagt man das auf Deutsch?
> Entschuldigung, wie heißt das?
> Wie heißt das auf Deutsch?

> **2** Bitte langsam. Ich kann noch nicht so gut Deutsch.
> Kannst du bitte langsam sprechen?
> Bitte langsam sprechen. Ich habe nicht verstanden.

> **5** Kannst du das noch einmal sagen?
> Noch einmal, bitte.
> Kannst du das bitte wiederholen?

> **3** Ach, du bist Italienerin.
> Ach, du bist Italiener.
> Ach, du bist Engländer.

**c)** Macht weitere Gespräche mit den anderen Sätzen von Übung b.

   **d)** Macht ein Rollenspiel „Beim Seilspringen". Zwei Kinder sprechen gut Deutsch, die anderen zwei nicht so gut.
Sprecht so: Hallo, möchtet ihr mitmachen?

# Lektion 48
## Familie Klein macht Ferien

### 1 Was machen wir?

Zimmer      Wohnung      Burg      wandern      Picknick

1/48   **a)** Hör zu und schau die Bilder an. In welcher Reihenfolge kommen die Wörter vor?

? ? ? ? ?
1 2 3 4 5

1/48   **b)** Hör noch einmal zu. Lies die Sätze. Was ist richtig? Was ist falsch?

|  |  | R | F |
|---|---|---|---|
| 1 | Die Familie macht Ferien in Italien. | ? | ? |
| 2 | Die Wohnung ist hübsch. | ? | ? |
| 3 | Lara hat kein eigenes Zimmer. | ? | ? |
| 4 | Morgen will die Familie wandern. | ? | ? |
| 5 | Lara findet ein Picknick doof. | ? | ? |
| 6 | Die Familie will eine Burg besuchen. | ? | ? |

### 2 Comic: Picknick

**a)** Was sagen die Personen? Zu schwer? Dann ordne die Sätze den Bildern zu.

Sieh mal! Der Hund hat die Würstchen gefressen. – Hier ist Saft. – Mama, was haben wir denn dabei? – Unsere Würstchen sind weg! – Wir haben Durst.

1/49   **b)** Hör zu, zeig mit und sprich nach.

 Käsebrot      Äpfel     Birnen

 Wurstbrot     eine Flasche Saft      eine Flasche Mineralwasser

 Eier      Bananen      Brötchen

 ein Glas Marmelade      Brezel      Würstchen

**c)** Schau die Bilder an. Was hat die Familie dabei?

## 3 Beim Picknick

> Äpfel, Brot, Brötchen, Käsebrote, Eis, Kakao, Brezel, Kaffee, Eier, Kartoffeln, Mineralwasser, Käse, Kuchen, Marmelade, Milch, Obst, Pizza, Bananen, eine Flasche Saft, Wurstbrote, Schokolade, Tee, Wurst, Birnen, Würstchen, Suppe

**a)** Was gehört zu einem Picknick? Schreib auf. Sprich dann mit deinem Partner darüber.

**b)** Macht in Gruppen Collagen. Schneidet Bilder mit Essen und Getränken aus Zeitschriften aus. Stellt die Bilder zu einem Picknick zusammen und klebt sie auf einen Karton.

## 4 Laute und Buchstaben

1/50 **a)** Hör zu und lies mit.

| Apfel – Äpfel | Rock – Röcke | Buch – Bücher | Haus – Häuser |
| Hase – Häschen | Brot – Brötchen | Wurst – Würstchen | Maus – Mäuschen |

1/51 **b)** Ergänze. Dann hör zu.

ein Zahn – viele ____, ein ____ – zwei Brüder, ein Block – viele ____, ein ____ – drei Häuser, ____ – Mäuschen, ____ – Blümchen, Katze – ____, Brot – ____

## 5 SMS

**N** Das Schwimmen gestern hat Spaß gemacht. Heute gehen wir noch mal ins Schwimmbad. Und morgen besuchen wir eine Burg. Gruß Lara

**E** Heute gehen wir zur Burg. Vielleicht gibt es da ein Gespenst. Hehe! LG Lara

**B** Hi Uli! Gerade sind wir angekommen. Unsere Ferienwohnung ist hübsch. Aber ich habe kein eigenes Zimmer. Bis bald, Lara

**I** Hallo Uli! Heute ist unser zweiter Tag. Wir wandern! Das ist bestimmt langweilig. Lara

**R** Hi! Gestern sind wir gewandert. Du hattest recht. Wandern ist gar nicht so schlimm. Wir haben auch ein Picknick gemacht. Das war lustig. Heute gehen wir schwimmen. LG Lara

Lara schickt ihrem Freund Uli jeden Tag eine SMS. Welche SMS hat sie am ersten/ zweiten/... Tag geschrieben? Bring sie in die richtige Reihenfolge. ❓ ❓ ❓ ❓ ❓
① ② ③ ④ ⑤

## 6 Postkarte an die Großeltern

Ergänze den Text und schreib die ganze Postkarte in dein Heft.

Liebe Oma, lieber Opa,
wie waren Eure Ferien? Hoffentlich hattet Ihr keinen Regen.
Unsere Ferien sind super. Gleich am zweiten Tag sind wir ①.
Das ② gar nicht so ③. Wir haben auch ein Picknick ④.
Wir hatten ⑤ dabei. Lukas und ich hatten ⑥.
Wir ⑦ Saft getrunken. Dann waren unsere ⑧ weg! Ein Hund ⑨ sie gefressen. Wir ⑩ gelacht. Mama ⑪ sauer.

Viele Grüße
Eure Lara

Lia & Rolf Klein
Kaiserstraße 9
32257 Bünde

**7 Besuch auf der Burg**

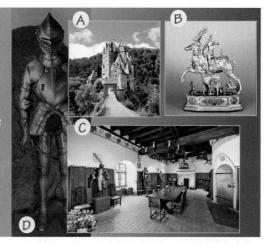

> ### Herzlich willkommen auf Burg Eltz.
>
> **1** Die 850 Jahre alte Burg ist romantisch gelegen und sieht aus wie ein Märchenschloss.
>
> **2** Die Besichtigung der Burg Eltz ist eine Zeitreise durch acht Jahrhunderte Geschichte.
>
> **3** Im Keller der Burg gibt es eine Schatzkammer.
>
> Öffnungszeiten:
> 1. April bis 1. November täglich 9.30 Uhr bis 17.30 Uhr
> Im Winter geschlossen.

**a)** Ordne die Bilder den Textabschnitten zu.

 **b)** Hör die Szenen. Zu welchen Bildern passen sie?

 **8 Lied: Geisterstunde**

1 Die Uhr schlägt zwölf. Der Geist erwacht.
Geisterstunde. Mitternacht.
Der Wind heult ums Haus.
Es ist plötzlich kalt.
Eine Tür schlägt zu.
Eine Eule macht huuu!
Die Uhr schlägt zwölf. Der Geist erwacht.
Geisterstunde. Mitternacht.

2 Es rasseln die Ketten.
Es klappern die Zähne.
Es knirscht das Gebein.
Wer wird das wohl sein?
Die Uhr schlägt zwölf …

3 Hörst du die Schritte?
Er kommt immer näher.
O weh, o Graus.
Ritter Stanislaus!
Die Uhr schlägt zwölf …

**9 Hörspiel: Ein Traum**

 **a)** Hör zu. Was für eine Geschichte kannst du dir bei den Geräuschen vorstellen?

 **b)** Was sagt Lara? Sammelt Sätze: Oh nein! – Ich habe Angst! – Wer …?
Macht ein Hörspiel. Spielt die Geräusche ab und sprecht dazu.

**10 Ritter Stanislaus**

Wie sieht Ritter Stanislaus aus? Mal ein Bild und beschreib ihn. Schreib so:

| Sein | Kopf | Seine | Nase | ist/sind | groß – klein |
|------|------|-------|------|----------|--------------|
| | Mund | | Arme | | dick – dünn |
| | Hals | | Hände | | lang – kurz |
| | Bauch | | Beine | | rot, weiß … |
| | | | Füße | | |
| | | | Haare | | |

**Beispiel:** Das ist Ritter Stanislaus. Sein Kopf ist groß. Seine Nase ist rot und dick.
**Leg das Blatt in dein Portfolio.**

### Orte angeben

Wohin fahrt ihr? – an einen See/Fluss, ans Meer, aufs Land, auf eine Insel, in eine Stadt, nach Deutschland/Österreich/Berlin, in die Schweiz, zu Oma

### eine Folge ausdrücken

In Italien ist es warm. Deshalb nehme ich T-Shirts mit.

### einen Wunsch äußern

Ich möchte den Papagei mitnehmen. Ich will unbedingt den Papagei mitnehmen. Ohne den Papagei fahre ich nicht mit.

### einen Weg beschreiben

Wo ist …? Du gehst geradeaus bis zur nächsten Straße und dann links/rechts.
Geh 350 Schritte geradeaus nach Osten.

### um Verständnishilfen bitten

Das verstehe ich nicht. – (Entschuldigung), wie bitte? – Bitte langsam (sprechen). Ich habe nicht verstanden. / Ich kann noch nicht so gut Deutsch. – Kannst du bitte langsam sprechen? – Wie sagt man das auf Deutsch? – Wie heißt das auf Deutsch? – Entschuldigung, wie heißt das? – Kannst du das noch einmal sagen? – Kannst du das bitte wiederholen? – Noch einmal, bitte.

### Wetter

Es ist warm/kalt. Es regnet. – Regen

### Herkunft

Woher kommst du? Ich bin/komme aus Italien/England. Ich bin Italiener/in. Ich bin Engländer/in.

### Kleidung

Rock, Mantel, Schal, Pulli/Pullover, Bikini, Hemd, Kleid, Tuch, T-Shirt, Bluse, Hose, Jacke, Mütze, Schuhe, Jeans, Stiefel, Handschuhe

### Beim Reisen

Flughafen, Bahnhof, Fahrplan, Strand, Supermarkt, Automat, Kiosk, Bahnsteig, Gleis, Fahrkarte, Dusche, Toilette

### Himmelsrichtungen

Norden, Osten, Süden, Westen

### Maße

Meter, Kilometer

### Zahlen

(ein)hundert, zweihundert … vierhundertfünfunddreißig … tausend

### Essen und Trinken

Käsebrot, Wurstbrot, Ei, Mineralwasser, Banane, Brezel, Birne, Suppe

1  Wir fahren  mit dem Zug  mit dem Auto
mit dem Fahrrad
mit dem Schiff
mit dem Flugzeug

2

| ich | will | kann |
|---|---|---|
| du | willst | kannst |
| er/es/sie | will | kann |
| wir | wollen | können |
| ihr | wollt | könnt |
| sie | wollen | können |

3 Vergangenheit (Präteritum)

| ich | war | hatte |
|---|---|---|
| du | warst | hattest |
| er/es/sie | war | hatte |
| wir | waren | hatten |
| ihr | wart | hattet |
| sie | waren | hatten |

4  sein Kopf   sein Gesicht   seine Nase   seine Hände

# In der Stadt

## 1 Comic

a) Schau die Comics an. Was sagen die Personen? Was glaubst du?

## 2 Comic

b) Wohin gehören die Sätze?

c) Hör zu und lies mit.

Ach so. Magst du sie? • Hier. Kaffee! Gut. • Wie bitte? • Was brauchst du denn? • Ja, an der Blumenstraße. • Nein, das ist einfach. • So ein Mist! • Genau. Hier die da! • Richtig, Marmelade! • Elke? Wer ist das? • Das war ganz leicht. • Und was ist das? • Hier ist Obst. Ich nehme Äpfel.

### 1 Hören: Ich möchte nicht weg!

 **a)** Hör zu und schau die Bilder an.

**b)** Schau die Bilder an und lies die Wörter. Nun hör noch einmal zu.   ❓ ❓ ❓ ❓ ❓ ❓
In welcher Reihenfolge kommen die Wörter im Text vor?   1 2 3 4 5 6

Angestellte

Hausmann

Ingenieur

Bus

Fahrrad

U-Bahn

 **c)** Schreib die sechs Wörter auf Karten. Hör den Text noch einmal.
Hörst du so ein Wort? Dann halte die passende Karte hoch.

| Angestellte | Hausmann |

**d)** Lies den ersten Satz und dann die anderen drei Sätze.
Was sagt (fast) das Gleiche?

**1** Fabians Vater ist arbeitslos.
   P Er hat zu viel Arbeit.
   B Er hat keine Arbeit.
   G Er arbeitet als Ingenieur.

**2** Fabians Vater hat wieder einen Job.
   E Er hat wieder eine Arbeit gefunden.
   A Er sucht wieder eine Arbeit.
   O Er ist wieder ohne Arbeit.

**3** Fabian will nicht weg aus Berlin.
   T Fabian will nach Kleve.
   K Fabian will nicht nach Berlin.
   R Fabian will in Berlin bleiben.

**4** Kleve ist eine Stadt im Westen von Deutschland.
   I Kleve ist eine Stadt im Osten von Berlin.
   U Kleve ist eine Stadt ganz weit weg von Berlin.
   Y Kleve ist eine Firma ganz weit weg von Berlin.

**5** In Kleve muss man nicht mit der U-Bahn zum Schwimmbad fahren.
   N In Kleve muss man mit dem Bus zum Schwimmbad fahren.
   S In Kleve gibt es eine U-Bahn und ein Schwimmbad.
   F In Kleve kann man mit dem Fahrrad zum Schwimmbad fahren.

Lösung: Fabians Vater ist Ingenieur von ❓ ❓ ❓ ❓ ❓ .
                                          1 2 3 4 5

## 2 Im Internet

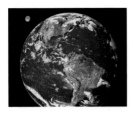
Erde

Europa

Deutschland

Kleve

a) Such Deutschland, Österreich und die Schweiz auf der Europa-Karte.

b) Schau die Karte von Deutschland an. Berlin liegt im Osten, Kleve im Westen. Wo? Zeig darauf.

## 3 Das gibt es in Kleve

1 Die Schwanenburg
Schon von Weitem sieht man diese Burg. Sie ist über 1000 Jahre alt und steht im Stadtzentrum. Im Sommer gibt es dort oft Pop-Konzerte.

2 Radfahren
Kleve und seine Umgebung sind ein Paradies für Radfahrer. Es gibt viele Kilometer Radwege in dieser herrlichen Landschaft.

3 Der Rhein
Jedes Jahr kommen viele Gänse, Enten und Schwäne an den Rhein.
Sie ruhen sich hier aus oder bleiben den ganzen Winter.

4 Cinema – Cola – Popcorn
Die neuesten Filme gibt es hier.
Ein Tipp für den kleinen Geldbeutel: Montag, Dienstag und Mittwoch sind die Rabatt-Tage – da kostet der Eintritt nur 5,- Euro!!

5 Zoo
Im Tiergarten Kleve könnt ihr alle möglichen Vierbeiner aus nächster Nähe bestaunen und sogar füttern und streicheln.

6 Wassersport
Spaß auf dem Wasser beim Paddeln, Rudern oder Tretboot fahren gefällig?
Oder mögt ihr es ganz nass in unserem Schwimmbad?

Lösung: ? ? ? ? ? ?
        1 2 3 4 5 6

a) Ordne die Bilder den Texten zu.

b) Zu welchen Texten passen die Sätze?
  A Da kann man schwimmen.      C Dort kann man Tiere sehen.
  B Dort kann man viele große Vögel sehen.    D Kino muss nicht teuer sein.

# Lektion 50
## Einkaufen

**1 E-Mail an Mehmet**

Von : fabian@planetino_drei.de

An : mehmet@planetino_drei.de

Lieber Mehmet,

Du hattest recht. Kleve ist gar nicht so nett. Die Schule ist okay. Und die Klasse ist auch ganz schlimm. Ich habe auch schon einen Daniel gefunden. Er heißt Freund. Er hat mir viel geholfen. Alles war ja neu für mich, der Unterricht und so. Die Stadt hier ist doch anders als in Berlin. Daniel hat mir alles erklärt. Er hat mir auch die Schule gezeigt. Hier kann man viel machen. Wir waren schon im Schwimmbad, ein Film mit Brad Pitt, super! Wir gehen auch zweimal die Woche ins Kino. Daniel schwimmt nämlich auch gern. Morgen fahren wir mit dem Fahrrad einkaufen. Da kann man viele Gänse sehen. Aber vorher muss ich für Mama an den Rhein. Sie arbeitet doch und hat keine Zeit mehr. Ich gehe hier nicht so gern einkaufen. Wohin muss ich denn gehen? Ich habe ja keine Ahnung. Zum Glück geht Daniel beim ersten Mal mit. Ich bin so froh.

Bis bald

Dein Fabian

Fabian hat viele Fehler gemacht. Schreib die E-Mail richtig.

**2 Was brauchen wir denn?**

2/5

● Was müssen wir denn kaufen?

■ Salat und Kartoffeln.

● Das Gemüsegeschäft ist gleich da links.

■ Gemüsegeschäft?
   In Berlin haben wir das immer im Supermarkt gekauft.

● Einen Supermarkt gibt es hier auch.
   Aber der ist zu weit weg.

```
1 Salat
2 Kilo Kartoffeln
1 Kilo Trauben
6 Brötchen
1 Brot
250 Gramm Wurst
12 Würstchen
```

a) Mach weitere Dialoge:
   Gemüsegeschäft:  Obst, Gemüse
   Metzgerei:       Wurst, Würstchen
   Bäckerei:        Brot, Brötchen

2/6-8 b) Hör die Dialoge zur Kontrolle.

**3 Rap: Wo gibt es …?**

2/9
2/10

1 Brötchen, Brötchen!
   Wo gibt es denn nur Brötchen?
   Ach, natürlich in der Bäckerei.

2 Salat und Birnen!
   Wo gibt's Salat und Birnen?
   Ach, natürlich im Gemüsegeschäft.

3 Quark und Butter!
   Wo gibt es Quark und Butter?
   Ach, natürlich im Supermarkt.

## 4 Essen und Trinken

Fisch  Quark   Joghurt Traubensaft  Zucker

Fleisch  Ei/Eier  Mineralwasser  Müsli  Ketchup

Brezel  Butter  Trauben

 **a)** Hör zu und lies mit.

2/11

2/12 **b)** Hör zu, zeig auf die Wörter und sprich nach.

2/10 **c)** Mach weitere Rap-Strophen, auch so: … in der Metzgerei.

## 5 Auf dem Markt

In Kleve ist jeden Samstag Wochenmarkt.

**a)** Schau das Bild an. Was gibt es auf dem Markt?

2/10 **b)** Mach weitere Rap-Strophen:

… Ach, natürlich auf dem Markt.

## 6 Einkaufen auf dem Markt

| | | |
|---|---|---|
| ● Bitte ein Kilo Äpfel. | ■ Traubensaft oder Orangensaft? | ● 250 Gramm. |
| ● Entschuldigung, wie viel kostet ein Kilo Birnen? | ■ 1,80 Euro. | ● Orangensaft. |
| ● Ein Stück Käse, bitte. | ● Zwei Liter Milch, bitte. Was kostet das? | ● 2,20 Euro. Hier bitte. |
| ● Zwei Flaschen Saft, bitte. | ■ Das macht 2,20 Euro. | ■ 1,90 Euro. |
| ■ Was darf's denn sein? | ■ Wie viel denn? | ● Dann nehme ich zwei Kilo. |

**a)** Wie passen die Teile zusammen? Mach fünf kleine Dialoge. Jeder Dialog hat drei Teile.

2/13-17 **b)** Hör die Dialoge zur Kontrolle.

## 7 Einkaufsdialoge selbst machen

- ● Was / Wie viel kostet …?
- ■ Was darf's denn sein? / Was möchtest du denn?
- ● Bitte ein Kilo / zwei Kilo / 100 Gramm / einen Liter…
- ● Bitte eine Flasche / zwei Flaschen / einen Liter / zwei Liter …
- ● Was kostet das?
- ■ Das macht …

*Bitte ein Kilo Birnen.*

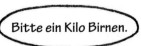

**a)** Schreib kleine Einkaufs-Dialoge mit deinem Partner. Überlegt auch, was die Sachen kosten.

**b)** Mach einen Comic zum Thema Einkaufen, z.B. In der Bäckerei. Leg das Blatt in dein Portfolio.

**8** *Lesen: Anzeigen und mehr*

**1**

# Fit für die Schule!

| | |
|---|---|
| 10 Hefte DIN A5 | **4**,00 € |
| 3 Blöcke liniert oder kariert | **1**,50 € |
| 6 Bleistifte | **3**,00 € |
| 2 Radiergummis verschiedene Motive | **0**,60 € |

**2**

**Kinder-Flohmarkt**

Spielsachen, Bücher

**Samstag, 18.04, ab 14.00 Uhr**

**Jugendzentrum Kehl**

**3**

## Sonderangebot

| | |
|---|---|
| Äpfel Idared 2 kg | 2,90 € |
| Trauben weiß kernlos, 1 kg | 1,20 € |
| Williamsbirnen 5 Stück | 2,10 € |

**4** Kinderfahrrad und Skateboard zu verkaufen, Tel. 02821/712854

**5**

**Wir müssen draußen bleiben!**

**6**

| Pausenverkauf | |
|---|---|
| Brötchen | 0,30 € |
| Brezel | 0,50 € |
| Milch | 0,70 € |
| Kakao | 0,70 € |
| Joghurt | 0,40 € |

Beantworte die Fragen:

1 Welchen Text findest du im Supermarkt, in der Metzgerei, in der Schule?
2 Bei welchem Text geht es um Obst, um Spielsachen oder um Schulsachen?

**9** *Miteinander reden*

**a)** Macht Gruppen. Schreibt Karten zum Thema „Einkaufen".

EINKAUFEN
Geschäfte

EINKAUFEN
Essen und Trinken

EINKAUFEN
Preise

Legt die Karten verdeckt auf den Tisch. Eine Karte nehmen, fragen und antworten.
Beispiel: Geschäfte

● Was kann man in der Metzgerei kaufen?
■ Fleisch.

Beispiel: Preise

● Was kostet ein Liter Milch?
■ 80 Cent.

**b)** Zeichnet auch Karten mit Speisen, immer zwei gleiche.
Beispiel:

● Hast du Äpfel gekauft?    ■ Nein, Birnen.
● Nimm doch einen Apfel!    ■ Danke.
● Gib mir bitte einen Apfel!

**c)** Macht auch **?**-Karten und **!**-Karten zum Thema „Schulsachen" und „Spielsachen".

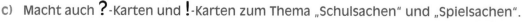

## 1 Stadtplan von Kleve

1 Marktplatz
2 Park
3 Bahnhof
4 Supermarkt
5 Schwimmbad
6 Krankenhaus
7 Theater
8 Kino
9 Burg
10 Bibliothek
11 Post
12 Kirche
13 Apotheke
14 Haltestelle

 2/18 **a)** Hör zu, zeig auf dem Stadtplan mit und sprich nach.

 2/19 **b)** Deck die Wörter zu. Hör zu und antworte laut.

 2/20 **c)** Hör zu und klatsch mit. Welches Wort ist das?

## 2 Stadtplan-Spiele

**a)** Zahlenkarten-Spiel

Spielt in Gruppen. Jede Gruppe schreibt Karten von 1–14.
Die Zahlenkarten liegen verdeckt in der Mitte. Alle Kinder schauen den Stadtplan
von Kleve an. Wörter links zudecken! Nun zieht ein Kind eine Zahlenkarte, zum Beispiel  2 .
Alle suchen auf dem Plan. Wer ruft am schnellsten „Park"?
Der/Die bekommt einen Punkt und darf die nächste Zahlenkarte ziehen.

**b)** Bingo

Bingo-Kreuz mit Gebäuden ausfüllen, zum Beispiel so:
Zahlenkarte ziehen, Gebäude auf dem Stadtplan suchen.
Wenn es auf dem Bingo-Kreuz vorkommt, ausstreichen.
Sieger ist, wer als Erstes alle Wörter ausgestrichen hat.

| Post | Bahnhof |
|------|---------|
| Park | Burg |

## 3 Wir basteln eine Stadt

Beispiel: Kirche

1 zwei Kartons zusammenkleben
2 Dach ausschneiden und aufkleben
3 Türen und Fenster aufmalen

## 4 Laute und Buchstaben

 2/21  **a)** Hör zu und lies mit.

Park – Post – Platz – Poster – Pulli
Kino – Kirche – Kartoffeln – Ketchup – Kilometer
Theater – Trauben – Toilette – Turnhalle – Tennis

2/22  **b)** Hör genau zu. Was ist falsch? 1, 2, 3 oder 4?

2/23  **c)** Ergänze. Dann hör zu.

P oder B:  ? ullover, ? utter, ? lume, ? latz, ? irne, ? icknick, ? ark, ? anane

K oder G:  ? emüse, ? etchup, ? artoffel, ? arten, ? las, ? lasse, ? itarre, ? irche

T oder D:  ? isch, ? isco, ? urst, ? uch, ? ennis, ? ezember, ? atum, ? asche

## 5 Hören

2/24  Hör zu und antworte laut. Zu schwer? Dann hör zuerst alles.

Beispiel:  Du möchtest ein Paket aufgeben.       – Ich gehe zur Post.
Du brauchst eine Fahrkarte.        – Ich gehe zum Bahnhof.

## 6 Spiel: Entschuldigung, wie komme ich …?

Stellt die Tische so in der Klasse auf, dass Straßen entstehen. Stellt die gebastelten Gebäude aus
Übung 3 auf die Tische. Schreibt Zettel mit Gebäuden der Stadt.
Macht auch Farbpunkte.

● Kirche          ● Bahnhof

Die Klasse in zwei Gruppen teilen, A und B. Jedes Kind der Gruppe A zieht einen Zettel und fragt
ein Kind aus der B-Gruppe:

### Entschuldigung, wie komme ich …?

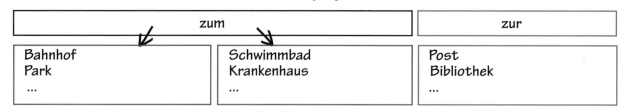

| zum | | zur |
|---|---|---|
| Bahnhof  Park  … | Schwimmbad  Krankenhaus  … | Post  Bibliothek  … |

Das Kind aus der B-Gruppe antwortet:

Du gehst geradeaus bis zur { nächsten Kreuzung und dann { links.
ersten                                        rechts.
zweiten
dritten

## 7 Silbensuch-Spiel

Schreibt die Wörter von Übung 1 auf Karten. Schreibt auch die Geschäfte auf.
Zerschneidet die Karten in einzelne Silben:

| Bahn | hof | Ki | no | Bä | cke | rei | Metz | ge | rei | Ge | mü | se | ge | schäft |

Ihr braucht so viele Silben, wie
Kinder in der Klasse sind. Jedes
Kind bekommt eine Silbe. Alle
Kinder gehen durch die Klasse
und suchen die passenden Silben
für ihr Wort. Wenn alle Wörter
fertig sind, fragt die Klasse jede
Silben-Gruppe.

Wohin geht ihr?

Zur Bäckerei.

## 8 Lesen: Die Geschichte von den Rosinenbrötchen

1  Einmal hat der Vater zum Kind gesagt:
„Bitte, lauf doch schnell für mich zur Post und kauf mir dreißig
Briefmarken." Und die Mutter hat gesagt: „Auf dem Rückweg
kannst du beim Bäcker drei Rosinenbrötchen holen." Das Kind ist
mit dem Geld fortgegangen.

2  Es war gar nicht weit bis zur Post.
Aber die anderen Kinder haben auf der Straße gespielt, und das Kind
hat ihnen zugesehen und ein bisschen mitgespielt.

3  Dann ist es zur Post gelaufen. Es hat drei Briefmarken gekauft, und
dann hat es beim Bäcker dreißig Rosinenbrötchen geholt, zwei große
Tüten voll, das Kind konnte sie kaum tragen.

4  Der Vater hat gelacht und gerufen:
„Jetzt muss ich Rosinenbrötchen auf meine Briefe kleben!"
Und die Mutter hat auch gelacht und schnell Kaffee gekocht, und sie haben Rosinenbrötchen
gegessen, bis sie Bauchweh hatten.

*(Ursula Wölfel)*

a)  Was ist richtig und was ist falsch?

|   |   | R | F |
|---|---|---|---|
| 1 | Das Kind muss zur Post und zur Bäckerei. | ? | ? |
| 2 | Es muss 30 Rosinenbrötchen kaufen. | ? | ? |
| 3 | Das Kind hat kein Geld mitgenommen. | ? | ? |
| 4 | Es hat mit den anderen Kindern gespielt. | ? | ? |
| 5 | Der Vater hat Rosinenbrötchen auf die Briefe geklebt. | ? | ? |
| 6 | Sie haben Briefmarken gegessen, bis sie Bauchschmerzen hatten. | ? | ? |

b)  Macht ein Hörspiel. Überlegt gemeinsam: Was sprechen die
Personen in Szene 2 und 3 und auch am Ende in Szene 4?
Nehmt das Hörspiel auf. Denkt auch an die Geräusche.

## Spielen und Raten

### 1 Spiel: In der Stadt

**a)** Schau die Bilder auf dem Spielplan an. Schreibt Karten, jedes Ziel zweimal:

| Geh zur Post. | Geh zur Post. | Geh zum Krankenhaus. | Geh zum Krankenhaus. |

**b)** So geht das Spiel:

Du würfelst und ziehst deinen Spielstein. Wenn du auf ein buntes Feld kommst, musst du eine Karte ziehen. Du liest die Karte vor und stellst den Spielstein an die richtige Stelle. Beim nächsten Mal musst du von hier aus weitermachen.

Wer ist als Erster im Ziel? ⚠ Du musst genau das Feld „Ziel" treffen!

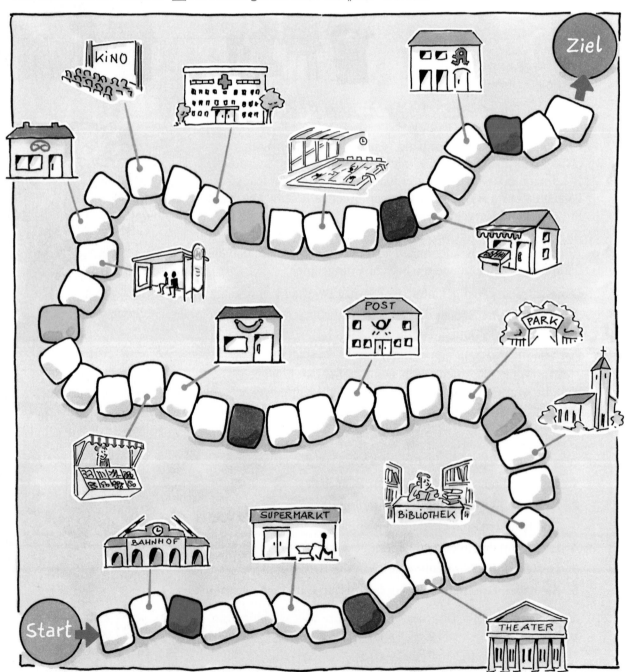

## 2 Das große D-A-CH-L-Quiz

**1** Wo liegen Deutschland, Österreich,
die Schweiz und Liechtenstein?
- A In Afrika.
- B In Amerika.
- C In Europa.

**2** Welche Länder sind Nachbarländer von
Österreich?
- A Italien und die Slowakei.
- B Griechenland und die Schweiz.
- C Polen und Frankreich.

**3** Wie heißt die Hauptstadt von Liechtenstein?
- A Bern.
- B Wien.
- C Vaduz.

**4** Wie viele Leute wohnen in Berlin?
- A Circa 1,5 Millionen.
- B Circa 3,5 Millionen.
- C Circa 9,5 Millionen.

**5** Wie viele Bundesländer hat Deutschland?
- A 6 Länder.
- B 16 Länder.
- C 66 Länder.

**6** Die Bundesländer in der Schweiz heißen …
- A Kantone.
- B Départements.
- C Länder.

**7** Ein See gehört zu Deutschland,
Österreich und der Schweiz. Das ist …
- A der Genfersee.
- B der Bodensee.
- C der Neusiedler See.

**8** Was ist der Rhein?
- A Ein See.
- B Ein Meer.
- C Ein Fluss.

**9** Die Alpen haben hohe Berge. Die Alpen
gehören nicht zu …
- A der Schweiz und Liechtenstein.
- B Deutschland und Österreich.
- C Tschechien und der Slowakei.

**10** Wo liegt Österreich?
- A Im Süden von Deutschland.
- B Im Norden von Deutschland.
- C Im Westen von Deutschland.

**11** Wie bezahlt man in der Schweiz?
- A Mit Euro.
- B Mit Dollar.
- C Mit Franken.

**12** In einem Land
regiert ein Fürst
(= König).
- A In Deutschland.
- B In Liechtenstein.
- C In Österreich.

**13** Wo steht das
Brandenburger Tor?
- A In Wien.
- B In Berlin.
- C In Bern.

**14** In diesem Land spricht
man vier Sprachen.
- A In Polen.
- B In Deutschland.
- C In der Schweiz.

**15** Schifahren ist in drei Ländern
der beliebteste Sport.
- A In Österreich, Liechtenstein
und der Schweiz.
- B In Deutschland, Polen und
Frankreich.
- C In Italien, Spanien und der Türkei.

Kannst du das Quiz lösen?
**Die Fotos, Landkarten und Texte auf den Seite 47 – 49 helfen dir.**

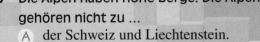

### Einkaufen

Was darf's denn sein? –
Bitte, ein Kilo /
einen Liter / 250 Gramm …
Bitte ein Stück … –
Wie viel denn?
Wie viel / Was kostet …? –
Das macht/kostet …
Dann nehme ich …

### nach dem Weg fragen

Entschuldigung, wie komme ich zum/zur …?
Entschuldigung, wo ist hier …?

### den Weg beschreiben

Du gehst geradeaus bis zur nächsten/ersten/
zweiten/… Kreuzung/Straße und dann rechts/links.

### rund um den Beruf

Er ist Ingenieur von Beruf.
Angestellte – Hausmann
Job – arbeitslos

### Essen und Trinken

Fisch, Zucker, Quark, Joghurt, Fleisch, Gemüse,
Ei/Eier, Müsli, Ketchup,
Brezel, Butter, Trauben, Traubensaft

### Maße

ein Kilo, 250 Gramm, ein Stück, eine Flasche,
ein Liter

### in der Stadt

Markt, Marktplatz, Park,
Schwimmbad, Krankenhaus, Theater, Kino,
Bibliothek, Post, Kirche, Haltestelle

Geschäfte: Supermarkt, Gemüsegeschäft,
Bäckerei, Metzgerei

**1** Wo gibt es Gemüse/Fleisch/…?

| | | |
|---|---|---|
| im Supermarkt | im Gemüsegeschäft | in der Bäckerei |
| auf dem Markt | | in der Metzgerei |

**2** Wohin geht ihr?

| | | |
|---|---|---|
| zum Supermarkt | zum Gemüsegeschäft | zur Bäckerei |
| zum Bahnhof | zum Krankenhaus | zur Post |

**3** Man fährt mit

| | | |
|---|---|---|
| dem Zug | dem Fahrrad | der U-Bahn |
| dem Bus | | |

# Haltestelle   D   A   CH   L

Deutschland   Österreich   Schweiz   Liechtenstein

D  A  CH  FL

Rettungs-Helikopter der Rega (CH)

Alpen im Winter (CH)

Genf mit „Jet d'eau" (CH)

Hafen Hamburg (D)

Salzburg (A)

U-Bahn in Berlin (D)

Stift Melk an der Donau (A)

Loreleyfelsen am Rhein (D)

Neues Rathaus in Leipzig (D)

ÖBB-Bahnhof Schaan-Vaduz (FL)

Schloss Schönbrunn in Wien (A)

Schaan (FL)

Pilatusbahn, steilste Zahnradbahn der Welt (CH)

Alpen im Sommer (CH)

Nationalpark Wattenmeer (D)

Straßenbahn („Bim") in Wien (A)

2/25-28  Hör zu und lies mit. Aus welchem Land kommen die Personen?

| Guten Tag. | Grüß Gott. |
|---|---|
| Servus. | Moin. |

| Auf Wiedersehen. | Tschüs. |
|---|---|
| Tschau. | |

(Norddeutschland, Süddeutschland)

| Guten Tag. | Grüß Gott. |
|---|---|
| Hallo. | Servus. |

| Auf Wiedersehen. | Baba. |
|---|---|
| Servus. | |

| Salü/Sali. | Hoi. |
|---|---|
| Grüezi/Grüessech. | |

| Uf Widrluege. | Ade. |
|---|---|
| Tschau. | |

→ (ab Lektion 48/49)

1 In Deutschland leben circa 82 Millionen Menschen. Deutschland ist in 16 Bundesländer aufgeteilt. Die Hauptstadt heißt Berlin. Es gibt noch drei weitere sehr große Städte: Hamburg, München und Köln.

2 Berlin hat 3,4 Millionen Einwohner, 400 000 Bäume, 1600 Brücken, viel Wasser, Seen, Kanäle und zwei Flüsse, die Spree und die Havel. Man kann fast jeden Stadtteil mit dem Schiff erreichen. Am Wannsee gibt es sogar einen richtigen Sandstrand.

3 Österreich hat circa 8,4 Millionen Einwohner. Es gibt neun Bundesländer. Die größten Städte sind die Hauptstadt Wien sowie Graz, Linz und Salzburg.

4 Wien (1,7 Millionen Einwohner) liegt an der Donau. Ein Wahrzeichen der Stadt ist das Riesenrad. Es steht im Prater, einem Vergnügungspark, der das ganze Jahr offen ist. In der Altstadt kann man statt mit dem Taxi mit dem Fiaker, einem Pferdewagen, fahren.

5 In der Schweiz leben circa 7,8 Millionen Menschen. Man spricht dort vier verschiedene Sprachen: Deutsch, Französisch, Italienisch und Rätoromanisch. Die Schweiz ist in 26 Kantone aufgeteilt. Die größten Städte sind Zürich, Genf, Basel und die Hauptstadt Bern.

6 Bern (130 000 Einwohner), die viertgrößte Stadt in der Schweiz, ist bekannt für seine schöne Altstadt. Am Ende der Altstadt ist der Bärenpark. Der Bär ist auch das Wappentier der Stadt.

7 Liechtenstein ist sehr klein. Es ist ein Fürstentum, denn hier regiert ein Fürst. Das ist so etwas Ähnliches wie ein König. Die Hauptstadt heißt Vaduz. Liechtenstein hat nur circa 36 000 Einwohner.

8 Das Wahrzeichen der Stadt Vaduz ist das Schloss Vaduz. Es liegt auf einem Felsen über der Stadt.

**1** Lies die Texte auf S. 48 und schau die Bilder an. Zu welchen Städten gehören die Bilder?

**2** Lies die Texte noch einmal und schau die Landkarten an. Dann kannst du das Quiz auf S. 45 lösen.

Diese Karten findest du größer vorne und hinten im Buch.

**3** Schau erst die Fotos an, dann die Landkarten. Zu welchen Ländern gehören die Fotos?

**A** Alpen      **B** Bodensee      **C** Rhein      **D** Donau

D, A, CH        D, A, CH        CH, D        D, A

## B Berühmte Persönlichkeiten

→ (ab Lektion 53)

**1** Simon Ammann (geboren 1981) ist der bekannteste Schweizer Schispringer. Er hat vier Goldmedaillen bei Olympischen Spielen gewonnen, 2002 in Salt Lake City und 2010 in Vancouver. Sein weitester Sprung war 236,5 Meter bei der Schiflug-Weltmeisterschaft 2010.

**2** Der Österreicher Falco – in Wirklichkeit Hans Hölzel – war der erste deutschsprachige Rapper. Mit seinem Song „Rock me Amadeus" hat er sogar den ersten Platz in den US-Charts gemacht.
Falco ist mit 41 Jahren bei einem Autounfall gestorben.

**3** Carl Benz (geboren 1844, gestorben 1929) war ein deutscher Ingenieur und Autobauer. 1885 hat Benz das erste Benzinauto der Welt gebaut. Es hatte drei Räder und war nicht sehr schnell: 18 Kilometer in der Stunde. Viele Leute haben über Benz gelacht und das Auto einen Wagen ohne Pferde genannt. Heute gibt es den Nachfolger von Benz' Auto immer noch: den Mercedes.

**4** Max Frisch (geboren 1911 in Zürich, gestorben 1991) hat viele Theaterstücke und Bücher geschrieben. Dafür ist er in der ganzen Welt bekannt. Er hat aber auch einige Jahre als Architekt gearbeitet. In dieser Zeit hat er ein Schwimmbad in Zürich gebaut, das „Letzigraben-Bad", kurz „Letzi" genannt.

**5** Maria Theresia wurde 1717 als Fürstin in Wien geboren. Sie hatte eine schöne Kindheit in Wien. Mit 23 Jahren wurde sie Kaiserin von Österreich. Sie hat ein Gesetz gemacht, dass alle Kinder in die Schule gehen können. Sie selbst hatte 16 Kinder. Maria Theresia ist 1780 gestorben.

**6** Johann Sebastian Bach (1685 bis 1750) war ein großer deutscher Komponist. Auch heute, nach 300 Jahren, lieben viele Menschen seine Musik. 27 Jahre hat Bach in Leipzig den Chor der Thomaskirche geleitet. Den „Thomaner-Chor" gibt es heute noch. Er besteht aus circa 100 Jungen im Alter von neun bis 18 Jahren.

⑦ Der Schweizer Henry Dunant (geboren 1828 in Genf, 1910 in Heiden gestorben) hat eine wichtige Hilfsorganisation gegründet. Das Rote Kreuz bzw. der Rote Halbmond hilft heute noch bei Katastrophen in der ganzen Welt.

⑨ Friedensreich Hundertwasser (1928 bis 2000) war ein österreichischer Maler. Er hat viele Reisen gemacht und viele Fremdsprachen gesprochen, z.B. Englisch, Französisch und Italienisch. Er hatte immer einen kleinen Malkasten dabei. So konnte er überall sofort malen. Er hat Bilder und Plakate gemalt und Häuser und Schulen gestaltet.

⑧ Margarete Steiff (geboren 1847 in Giengen/Deutschland und 1909 dort gestorben) war die Gründerin der weltbekannten Spielwarenfabrik „Steiff". 1879 hat sie das erste Tier aus Stoff genäht, einen Elefanten. Später hat sie auch andere Tiere gemacht. Noch heute sind die Stofftiere bei den Kindern beliebt, vor allem der Teddybär.

📖 Lies die Texte und schau die Bilder an. Zu welchen Texten gehören die Bilder?

A

B

C

F

G

D

E

H

I

## C So gehen wir zur Schule

→ (ab Lektion 56)

 **1 Schule auf der Hallig**

a) So steht es im Internet. Schau die Bilder an und lies die Texte.

b) Wer hat die Texte unten geschrieben?

Hallig Hooge grüßt den Rest der Welt!!!

Wir, die Grund- und Hauptschule Hallig Hooge, wollen uns auf dieser Seite vorstellen:

„Wir sind eine total coole, kleine Halligschule. Eine Hallig ist eine kleine Insel mitten in der Nordsee. Jedes Jahr steht unsere Hallig drei- bis viermal unter Wasser, dann sehen nur noch die Warften aus dem Wasser. ‚Warften' sind künstlich aufgeschüttete kleine Berge, auf denen unsere Häuser (auch die Schule) stehen.

Zurzeit unterrichtet ein Lehrer die vier Schüler hier, das heißt drei Schüler und eine Schülerin.

So wie andere Schulen haben auch wir eine kleine Turnhalle, einen Sportplatz, zwei Werkräume und eine Computerecke.

Der Unterricht findet in einem Klassenzimmer statt, denn es gibt in den Klassen 4, 6, 7 und 9 zurzeit nur jeweils einen Schüler bzw. eine Schülerin."

**Hallo, hier meldet sich Uwe Jessel**

Vor 27 Jahren bin ich mit meiner Familie auf die Hallig gezogen.
Seitdem leite ich die kleine Halligschule.
Ich verbringe meine Freizeit gern in der Natur. Mein Lieblingshobby ist Radfahren.

**Ich heiße Merle**

Hallo, ich bin Merle und bin 9 Jahre alt. Ich gehe in die 4. Klasse.
Meine Lieblingsfächer sind Sport, Deutsch und Sachunterricht.
Ich habe zwei Haustiere: Mein Meerschweinchen heißt Amanda und mein Hase heißt Paula.

**Moin Moin!!!**

Ich bin Gerrit Binge und lebe auf der Hallig Hooge. Mein Vater hat einen Bauernhof, wir haben 20 Kühe und 20 Schafe.
Ich gehe in die 7. Klasse und bin 13 Jahre alt.
Wenn die Hallig unter Wasser steht, haben wir schulfrei. Dann müssen wir auf unseren Warften bleiben. Das ist langweilig.

## 2 Das Sportgymnasium Saalfelden

2/29

**a)** Hör das Interview und lies die Sätze.

**b)** Was sagt der Schüler nicht?

1 Das Sportgymnasium Saalfelden ist eine Schule in Österreich.
2 Die Schule liegt 70 km von Salzburg entfernt.
3 Mehr als 180 Jungen und Mädchen zwischen 10 und 18 Jahren wohnen und lernen dort.
4 Janni geht in die zweite Klasse der Unterstufe. Er ist zwölf Jahre alt.
5 Janni hat mit sechs Jahren mit dem Schispringen angefangen.
6 Er trainiert zwölf Stunden in der Woche für das Schispringen und sieben Stunden andere Sportarten.

7 Janni braucht neun Jahre bis zur Matura.
8 Er hat auch am Samstag Unterricht.
9 Der Stundenplan ist nicht das ganze Jahr gleich.
10 Im Winter ist nicht so viel Unterricht.
11 Janni hat circa 20 Wettkämpfe im Jahr.
12 Er hat nicht viel Zeit für seine Hobbys.
13 Im Sommer fahren die Schispringer ins Trainingslager.
14 Sie haben auch im Sommer Wettkämpfe.

## 3 Mit der Seilbahn sicher zur Schule

Lies den Text und ordne die Bilder.

1 Die Familie Tschümperlin hat einen Bauernhof in den Bergen, hoch über dem Ort Engelberg in der Schweiz. Robert Tschümperlin wohnt da oben mit seiner Frau Ursi und seinen vier Kindern.
Der Bauernhof ist mit Engelberg durch einen schmalen Weg verbunden, auf dem man nur mit einem Allrad-Auto fahren kann. Dann dauert die Fahrt eine halbe Stunde. „Zu Fuß brauchen wir sogar eine Stunde", sagt Frau Tschümperlin. Für die beiden Mädchen Jasmin und Sonja ist so ein langer und gefährlicher Schulweg hinunter ins Dorf unmöglich.

2 Seit ein paar Jahren gibt es zum Glück eine Seilbahn. „Nun können wir Engelberg in nur dreieinhalb Minuten erreichen", freut sich der Vater.

3 Mit der Seilbahn kann er jeden Tag die Milch hinunter ins Dorf bringen.

4 Besonders glücklich über die Seilbahn sind Jasmin und Sonja: „Wir können ganz allein hinunterfahren, auch wenn es im Winter noch dunkel ist."

5 Die Mädchen können die Seilbahn sogar selbst bedienen.
Und ihre Mutter ist froh, dass die Kinder jetzt einen sicheren Schulweg haben.

## D Essen und Trinken

→ (ab Lektion 59)

### 1 Rätsel

**a)** Was ist das?

In der Schweiz sagt man dazu „Weggli".
In Süddeutschland und Österreich sagt man „Semmel".
In Berlin sagt man „Schrippe".
Ein Tipp: Man isst es zum Frühstück mit Butter und
Marmelade oder Honig.

**b)** Was ist das?

Manche Leute in Süddeutschland und Österreich sagen
dazu „Erdapfel". In der Schweiz sagt man auch „Härdöpfel".
Ein Tipp: Man kann Salat daraus machen.

**c)** Was ist das?

In der Schweiz sagt man dazu „Schoggi".

**d)** Was ist das?

Man kann es trinken. Manche Leute in Norddeutschland
sagen „Brause" dazu, und manche Österreicher sagen
„Kracherl".
Ein Tipp: Es ist süß und schmeckt meistens nach Obst.

### 2 Rezepte

**a)** Aus Österreich: Kaiserschmarrn (für 4–6 Personen)

Zutaten: 4 Eigelb , 150 g Mehl , ca. ¼ l Milch , Salz ,

4 Eiweiß , 30 g Zucker , 70 g Butter , Puderzucker ,

50 g Rosinen

*Magst du keine Rosinen? Dann lass sie einfach weg!*

**Zubereitung:**

- Die 4 Eigelb mit Milch, Mehl und einer Prise Salz zu einem Teig
  rühren, den mit Zucker steif geschlagenen Eiweißschnee
  darunterziehen.
- In einer Pfanne die Butter schmelzen, den Teig hineingießen
  und Rosinen darüberstreuen.
- Den Schmarrn auf einer Seite goldbraun backen, dann den
  Schmarrn wenden und auf der zweiten Seite backen, bis er fast
  fertig ist.
- Mit zwei Gabeln den Schmarrn in Stücke reißen und fertig
  backen, zum Schluss mit Puderzucker bestreuen.

  Dazu passt Kompott aus Äpfeln, Birnen …

**b)** Aus der Schweiz: Schoggi-Fondue (für 4 Personen)

Zutaten: 300 g Schokolade  , 100 ml Sahne  , 40–50 Obststückchen (Äpfel,

Birnen, Bananen, Orangen …)  , Brotwürfel  oder Biskuits

**Zubereitung:**
- Die Sahne in einem kleinen Topf heiß machen.
- Die Schokolade darin schmelzen und glattrühren.
- Dann die Masse in einen Fondue-Topf umfüllen und warmhalten.

So isst man das Fondue:
Die vorbereiteten Obststückchen oder Brotwürfel in das Fondue tauchen, mit Schokolade umhüllen und essen.
Wichtig: Das Fondue nicht zu heiß servieren und immer gut umrühren!

**c)** Aus Deutschland: Nudelsalat (für 4–6 Personen)

Zutaten: 500 g dicke, kurze Nudeln  ,

5 l Wasser, etwas Salz  ,

300 g Wurst oder Schinken  ,

300 g Käse, 2 Äpfel  ,

ein Glas Majonäse  ,

eine halbe Flasche Ketchup

*Diesen typisch deutschen Partysalat kann man auch mit anderen Zutaten machen, z.B. ohne Wurst und Schinken, aber mit Tomaten.*

**Zubereitung:**
- Die Nudeln in das kochende Salzwasser geben.
- Die fertigen Nudeln in ein Sieb schütten und kaltes Wasser darüber gießen.
- Die Wurst oder den Schinken und den Käse in kleine Würfel schneiden und zu den Nudeln geben.
- Die Äpfel schälen, in kleine Würfel schneiden und dazu geben.
- Die Majonäse und das Ketchup ebenfalls zu den Nudeln geben und alles gut mischen.

GUTEN APPETIT!

## E  Was fällt dir zu D-A-CH ein?

 **1  Aus den D-A-CH-Ländern**

Schau die Fotos an und überleg mit deinem Partner: Welche Sachen aus Deutschland, Österreich und der Schweiz kennt ihr? Kennt ihr noch mehr Sachen?

**2  Projekt D-A-CH**

a) Sammelt Material über die deutschsprachigen Länder.
   Ihr könnt Bilder und Artikel aus Zeitschriften ausschneiden.
   Ihr könnt im Internet nach Informationen suchen.
   Vielleicht habt ihr aber auch Postkarten zu Hause usw.

b) Macht ein Plakat D-A-CH.
   Klebt die Bilder und Texte auf einen großen Karton. Die Texte können auch in eurer Sprache sein.
   Ihr könnt einen Karton in drei Felder aufteilen und alle drei Länder auf einem Plakat darstellen.
   Ihr könnt aber auch drei Plakate machen: Deutschland, Österreich, Schweiz. Zum Beispiel so:

# Wir sprechen, hören, sehen fern

## 1 Comic

**a)** Schau die Comics an. Was sagen die Personen? Was glaubst du?

## 2 Comic

**b)** Wohin gehören die Sätze?

**c)** Hör zu und lies mit.

Entschuldigung. • Ich weiß nicht. Ich kann gar nicht so gut sehen. • Ach, du bist es! • Das ist ja gar nicht der Fernseher. • Ich kann dich aber nicht sehen. • Opa, hier ist deine Brille. • Hallo! Wann kommst du denn? • Danke. • Wo denn?

### 1 Lesen: Früher und heute

**1** Die Rauchzeichen der Prärieindianer waren bekannt. Mit langen und kurzen Rauchzeichen konnten die Indianer Nachrichten über eine große Strecke schicken.

**2** Auf La Gomera, einer spanischen Kanareninsel, gibt es viele Berge, und die Menschen wohnen oft weit entfernt. Deshalb haben die Leute schon vor mehr als 500 Jahren eine Pfeifsprache erfunden. So können sie über viele Kilometer Nachrichten weitergeben. Jetzt gibt es natürlich auch hier Telefon und Handy. Heute lernen die Kinder „El Silbo", so heißt die Sprache, in der Schule.

**3** Viele afrikanische Stämme haben eine Trommelsprache. Wie weit man die Trommeln hören kann, hängt vom Wetter ab. Bei klarem Wetter kann man sie bis zu 15 Kilometer weit hören, bei Regen nur zwei bis drei Kilometer.

**a)** Ordne die Texte den Bildern zu.  Lösung:  ? 1  ? 2  ? 3

 2/32 **b)** Hör zu. Zu welchem Text passt das?

**c)** Lies die Sätze. Was ist richtig? Was ist falsch?        R       F

Die Rauchzeichen der Indianer kann man ganz weit sehen.      ?       ?

Mit der Pfeifsprache „El Silbo" kann man telefonieren.       ?       ?

Bei Regen kann man die Trommeln 15 Kilometer weit hören.     ?       ?

### 2 Hören: Nachrichten auf dem Anrufbeantworter

 2/33 **a)** Hör die erste Nachricht und lies die Aufgaben.

**1** Wen ruft das Mädchen an?

? Melanie    ? den Opa    ? die Eltern

**2** Was hat das Mädchen bekommen?

? eine schlechte Note    ? eine gute Note    ? die erste Mathearbeit

Hör die Nachricht noch einmal und lös die Aufgaben.

2/34 **b)** Hör die zweite Nachricht und lies die Aufgaben.

**1** Wen lädt der Junge ein?

? Lukas    ? Jonas    ? den Bruder

**2** Wann ist die Party?

? am Freitag    ? am Samstag    ? am Sonntag

**3** Was muss Lukas mitbringen?

? CDs    ? Kuchen    ? Tische und Stühle

Hör die Nachricht noch einmal und lös die Aufgaben.

**c)** Hör die dritte Nachricht und lies die Aufgaben.

**1** Warum ist das Training heute später?

? Der Trainer kommt zu spät.  ? Die Turnhalle ist frei.  ? Die Turnhalle ist besetzt.

**2** Wann beginnt das Training heute?

? um halb fünf  ? um fünf  ? um drei

**3** Wen muss der Junge anrufen?

? Uli und Roman  ? Martin und Albrecht  ? Tobias und Uli

Hör die Nachricht noch einmal und lös die Aufgaben.

# 3 SMS

? ? ? ? ? ? ? ?

**a)** Ordne die SMS-Kette.  Lösung: 1 2 3 4 5 6 7 8

**M**
Hallo, Rudi. Ich hatte am letzten Mittwoch Geburtstag.
Ich habe einen Hund bekommen. LG Toni

**T**
Zorro? Na ja. Wie sieht er denn aus?

**I**
Hallo Toni. Wie heißt denn dein Hund?

**O**
Das glaube ich nicht.

**H**
Einverstanden. Ich komme heute Nachmittag.

**W**
Er ist klein und schwarz und total lustig. Er kann sogar tanzen.

**T**
Er heißt Zorro. Der Name ist doch super, oder?

**C**
Komm doch vorbei. Dann kannst du es selbst sehen.

**b)** Mach selbst so eine SMS-Kette: meine Schwester – gestern – Papagei – ... – ... – morgen Mittag

# 4 Das Bechertelefon

Ihr braucht:
zwei leere Joghurtbecher ⬚ , eine dicke Nadel ⬚ und eine lange Schnur ⬚ .
Stecht mit der dicken Nadel in jeden Becher ein Loch und zieht eine Schnur durch.
Verknotet die Schnur an den Enden. Jetzt haltet die Schnur stramm und sprecht
in die Becher. Der eine spricht, der andere hört; dann wechseln.

**a)** Bastelt ein Bechertelefon.

**b)** Macht aus der SMS-Kette von Übung 3b ein Telefongespräch und sprecht es ins Bechertelefon.

**c)** Macht weitere Telefongespräche über Haustiere.

**1** *Was siehst du gern?*

A Zeichentrickfilm
B Tierfilm
C Krimi
D Sport
E Quiz
F Abenteuerfilm
G Wissensmagazin
H Nachrichten

 2/36-43

**a)** Hör zu und schau die Bilder an. Was passt zusammen?  ? ? ? ? ? ? ? ?

**b)** Ordne die Bilder den Texten aus der Fernsehzeitschrift zu.  1 2 3 4 5 6 7 8

**1** In der heutigen Sendung „Das möchte ich wissen!" geht es um die Frage „Woher kommt die Kartoffel?".

**2** Der Bus hält an der Haltestelle. Eine alte Frau steigt aus. Da nimmt ihr jemand die Handtasche weg. Zum Glück sind Piet und Jonas, die beiden Hobbydetektive, in der Nähe.

**3** Wellensittiche, Lieblinge der Kinder. „Tiere aus aller Welt" beschäftigt sich heute mit der kleinsten Papageienart.

**4** Supermax und Teddy Strong. In der neuen Folge ist Supermax nicht mehr so stark, wie er war. Was ist passiert?

**5** „Zorro kommt zurück". Das ist gut so, denn die Bewohner von San Felipe haben ein Problem. Allein schaffen sie es nicht. Aber Zorro kann ihnen helfen.

**6** Bastian Welz stellt seine Fragen heute den vierten Klassen aus Kassel und Wetzlar.

**7** Fußball-Weltmeisterschaft der U 21: In der zweiten Gruppe treten die jungen Stars aus Deutschland gegen die jungen Top-Spieler aus Spanien an. Wer gewinnt?

**8** Evelyn Berger spricht ab nächsten Montag die Tagesnachrichten.  ? ? ? ? ? ? ? ?
1 2 3 4 5 6 7 8

 2/44

**c)** Hör zu und antworte laut.

**d)** Frag deinen Partner:

| Frag deinen Partner: | Dein Partner antwortet: |
|---|---|
| • Siehst du gern fern? Was siehst du gern? Was siehst du lieber, … oder …? | • Ich sehe gern … |
| • Siehst du gern Krimis/Tierfilme/Wissensmagazine/ …? | • Ja/Nein, ich sehe (nicht) gern … Ja, aber lieber … Nein, lieber … |
| • Siehst du gern fern oder sitzt du lieber am Computer? | |
| • Was machst du am liebsten? Im Internet surfen? Computerspiele machen? / Filme/Musik herunterladen? / … | • Ich … gern und … |
| | • Am liebsten surfe ich … / mache ich … / lade ich … herunter. |

## 2 Wir machen Nachrichten selbst

**a)** Sammelt Informationen aus der Klasse, aus der Schule und aus eurer Stadt:

Wer fehlt heute? Und warum? Was hat er/sie?

Wer hat heute Geburtstag? / Wer hatte gestern Geburtstag? Wie alt ist/wird er/sie?

Was haben wir heute?

Ist heute / War gestern ein Schulfest/Sportfest/Fußballspiel/…?

**b)** So können die Nachrichten sein. Hör zu.

**c)** Schreibt in Gruppen Nachrichten.

Heute ist …, der …

Hier sind die Nachrichten.

Heute fehlt … Er/Sie ist krank.

| Er/Sie hat | Hals | | | Sein/Ihr | Hals | |
|---|---|---|---|---|---|---|
| | Kopf | | | | Kopf | |
| | Bauch | schmerzen. | | | Bauch | tut weh. |
| | Ohren | | | | Ohr | |

… hat heute Geburtstag. Er/Sie ist schon … Jahre alt.

Heute haben wir Mathe / keinen Sport / …

Gestern war Schulfest. / Der Zirkus kommt. /…

**d)** Eine/Einer spricht die Nachrichten. Ihr könnt euch auch nach jedem Thema abwechseln.

Dabei könnt ihr euch auch filmen.

Wenn ihr möchtet, gestaltet euer eigenes Nachrichtenstudio.

**e)** Macht öfter Nachrichten. Schreibt die Nachrichten auf und sammelt sie.

So entsteht ein Klassentagebuch.

## 3 Moritz und sein Computer

● Moritz, Moritz! Wo ist denn der ⬤ **1** nur?

■ Hier bin ich.

● Du bist ja schon wieder im Internet. Mach sofort den ⬤ **2** aus.

■ Das ⬤ **3** dauert nur noch zehn ⬤ **4** .

● Das ist mir gleich. Mach sofort den ⬤ **5** aus.

■ Ach, Mensch!

● Moritz, so geht das nicht weiter. Du bist einfach zu oft im Internet.

■ Aber alle meine ⬤ **6** machen das.

● Das ist mir egal. Ab jetzt darfst du jeden Tag nur noch eine Stunde ⬤ **7** .

■ Was? Und am ⬤ **8** ?

● Na gut! Am Samstag und ⬤ **9** zwei ⬤ **10** .

■ Mist!

**a)** Ergänze den Dialog: Spiel – Wochenende – Sonntag - Computer (2-mal) – Minuten – Stunden – Junge – Freunde – surfen

 **b)** Hör den Text zur Kontrolle.

## 4 Laute und Buchstaben

 **a)** Hör zu und lies mit.

Klasse – Wellensittich – wissen – kommen – Kartoffel –
Hobby – Teddy – Zorro – können – Gruppe – Mittwoch

 **b)** Lies laut. Dann hör zu.

Herr Müller isst gern Pudding. Affe Seppo füttert die Robbe am Sonntag immer mit Pizza.

 **c)** Schreib alle Wörter mit rr, ll, ss … aus dem Text b
in Spalten und schreib weitere Wörter dazu.

| rr | ll | ss |
|------|--------|----|
| Herr | Müller |    |

## 5 Lesen: Familie Wolf

1 Sven kommt zu Uli. Er läutet. Der Türsummer geht. Sven macht
die Tür auf. In der Küche ist Frau Wolf bei der Hausarbeit.
„Hallo", sagt Sven.
„Psst", sagt Frau Wolf, „das ist meine Lieblings-DVD."

2 Er geht weiter. Im Wohnzimmer sitzt Ulis kleine Schwester vor dem
Fernseher. „Hallo, Emma!", ruft Sven. Aber Emma sagt nur: „Psst!"

3 Sven kommt am Arbeitszimmer vorbei. Herr Wolf arbeitet am
Computer. „Guten Tag", sagt Sven. Aber Herr Wolf hört Svens
Gruß gar nicht.

4 Jetzt ist Sven an der Tür zu Ulis Zimmer. „Komm rein!", ruft Uli.
„Ich habe ein super Computerspiel gefunden."
„Wollen wir nicht Schach spielen?", fragt Sven.
„Psst!", sagt Uli nur.

5 Sven geht leise weg und keiner merkt es.

**a)** Ordne die Bilder den Textabschnitten zu.　Lösung: ❓ ❓ ❓ ❓ ❓

① ② ③ ④ ⑤

**b)** Beantworte die Fragen.

| | | | |
|---|---|---|---|
| 1 | Sieht Ulis Mutter keine DVD? | Doch. | Nein. |
| 2 | Sieht Ulis Schwester fern? | Ja. | Nein. |
| 3 | Sagt Ulis Vater nichts? | Doch. | Nein. |
| 4 | Ist Uli nicht am Computer? | Doch. | Nein. |
| 5 | Will Sven etwas spielen? | Ja. | Nein. |
| 6 | Will Uli Schach spielen? | Ja. | Nein. |
| 7 | Sagt niemand zu Sven „Auf Wiedersehen?" | Doch. | Nein. |

**c)** Spielt die Geschichte.

## 6 Schüler-Chat: Fernsehen oder Internet?

**a)** Lies die Beiträge im Chatroom. Was sagst du dazu?

Paula11: **Ich darf jeden Tag eine Stunde fernsehen, aber nur Kinderprogramme.**

Olaf_008: Meine Eltern arbeiten beide. Nachmittags bin ich allein. Da kann ich stundenlang im Internet sein.

Benny98: **Ich darf am Samstag auch abends fernsehen. Da kommen tolle Krimis.**

Juli_Köln: ICH LADE MIR AUS DEM INTERNET DIE SACHEN HERUNTER, DIE MIR GEFALLEN.

 **b)** Wie ist das bei dir? Schreib einen Beitrag für den Chatroom.

# Die Geschichte von den Nilpferden

Einmal haben drei Nilpferde im Fluss gelegen und sich gelangweilt. Da ist ein
5 Mann gekommen, der wollte die Nilpferde fotografieren. Die drei haben ihm zugesehen, wie er den Fotoapparat vor die Augen gehalten hat. Der Mann hat geknipst – aber da war kein Nilpferd mehr zu sehen. Sie waren untergetaucht und der Mann hatte nur das Wasser fotografiert. Er hat gewartet.

10 Endlich sind die Nilpferde wieder aufgetaucht. Aber sie waren jetzt viel weiter unten am Fluss. Der Mann ist schnell dorthin gelaufen. Die Nilpferde haben im Wasser gelegen und mit den Ohren gewedelt und zugesehen, wie der Mann gerannt ist. Dann hat er wieder geknipst – aber da war kein Nilpferd mehr zu sehen. Der Mann hatte wieder nur das Wasser fotografiert. Er hat sich auf einen Stein gesetzt und gewartet.

15 Endlich sind die Nilpferde wieder aufgetaucht. Aber diesmal waren sie viel weiter oben am Fluss. Der Mann ist gleich wieder losgerannt. Die Nilpferde haben im Wasser gelegen und mit den Augen geblinzelt und zugesehen, wie der Mann schwitzen und japsen musste. Dann hat der Mann wieder geknipst – aber da war kein Nilpferd mehr zu sehen. Er hatte wieder nur das Wasser fotografiert.

20 Und so ist es immer weitergegangen. Die Nilpferde haben den Mann hin und her rennen lassen, aber am Abend hatte er nur zwanzigmal das Wasser fotografiert und die Nilpferde waren vergnügt, weil sie sich den ganzen Nachmittag nicht mehr gelangweilt hatten.

*(Ursula Wölfel)*

**a)** Lies die Geschichte und beantworte die Fragen:

1 Wie viele Nilpferde waren im Fluss?
2 Was hatte der Mann dabei?
3 Was hat der Mann immer fotografiert?
4 Warum ist er immer hin und her gerannt?
5 Wie oft hat der Mann das Wasser fotografiert?
6 Wer hatte den ganzen Nachmittag viel Spaß?

**b)** Was sagt der Mann? Schreib zusammen mit deinem Partner auf.
Beispiel: Oh, da sind ja Nilpferde. Die möchte ich fotografieren! Mist! Sie sind weg!
Wo sind sie denn jetzt? Ach, da sind sie ja! … schon wieder weg … müde
Ihr könnt auch die Nilpferde sprechen lassen.

**c)** Bereitet in Gruppen ein Fernsehspiel vor.
Macht die Figuren. Malt auf feste, durchsichtige Folie mit wasserfesten Stiften den Mann mit der Kamera. Schneidet die Form aus und klebt mit Tesafilm einen langen Folienstreifen an.
Malt auch die drei Nilpferde auf eine Folie. Schneidet sie aus und klebt mit Tesafilm einen langen Folienstreifen an.
Malt auf eine große Folie das Wasser.
Legt die große Folie mit dem Wasser auf den Tageslichtprojektor.

**d)** Spielt die Geschichte.
Zwei Spieler führen die Figuren am Tageslichtprojektor.
Ein anderer Spieler spricht den Mann.

Wenn ihr keinen Tageslichtprojektor habt, könnt ihr die Figuren aus Karton machen und die Geschichte an der Tafel darstellen.

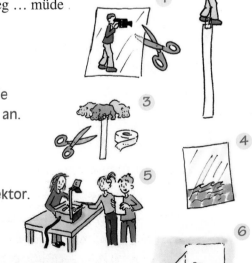

### 1 Kinderradio

**A**

radioMikro

radioMikro ist da, wo was los ist!
Montag bis Samstag von 18.30 Uhr bis 19.00 Uhr,
am Sonntag von 7.05 Uhr bis 8.00 Uhr.
Am Donnerstag gibt's Rätsel,
am Freitag gibt's Klaro, die Kindernachrichten,
am Samstag haben wir Hörspiele und Geschichten.

**C**

Zambo

Zambo heißt das Kinderprogramm auf Schweizer
Radio DRS, im Schweizer Fernsehen und im
Internet. Täglich bietet Zambo Kindern und
Jugendlichen eine neue Welt zum Entdecken.

**B**

Radijojo

Radijojo macht spannendes,
fröhliches Programm für Kinder bis 13 Jahre.
Radijojo bringt alles, was Kinder interessiert:
Musik, Hörspiele, Magazine, Spiele und
Informationen.

**D**

ORF St. Klapotetz,
das Kinderradio von
Radio Steiermark –
Kinder machen aktiv
als Reporter mit.
Auch Schulklassen
können ins Studio
kommen.

2/49-52 **a)** Hör zu. Zu welchem Programm gehört das?

? ? ? ?
1 2 3 4

**b)** Zu welchen Programmen passen die Sätze? Vorsicht! Nicht alle Sätze passen.
Und manche Sätze passen zu mehreren Programmen.

1 Das Programm läuft in der Schweiz.
2 Das Programm kommt jeden Tag.
3 Da gibt es Nachrichten.

4 Schulklassen machen Musik.
5 Das Programm läuft in Österreich.
6 Da gibt es Hörspiele und Geschichten.

### 2 Sendersalat

2/53 Benni probiert viele Sender durch. Hör zu. Worum geht es in den Sendungen?

| | | | | | | |
|---|---|---|---|---|---|---|
| U Familie | E Musik | G Zirkus | E Essen und Trinken |
| G Hobby | A Theater | S Sport | N Schule und Lernen |
| D Tiere | N Krankheit | I Jahreszeiten | N Ferien und Reisen |

Lösung: ? ? ? ? ? ? ? ? ?
        1 2 3 4 5 6 7 8 9

### 3 Spiel: Dalli-Dalli

Zwei Schüler gehen hinaus. Zwei andere Schüler sagen abwechselnd ganz schnell Wörter und Sätze
zu einem Thema.

Sport
keine Schule
Was fällt euch zum Thema Freizeit ein?
Lesen
Ich kann schlafen.

Alle zählen mit. Dann kommen die beiden Schüler herein und machen das Gleiche.
Wieder zählen alle mit. Wer hat am meisten richtige Wörter und Sätze gesagt?

## 4 Hören: Radio Planetanien

 **a)** Hör Planetinos Ansage. Kannst du sie verstehen? Wo ist Planetino?

 **b)** Hör das ganze Interview und beantworte die Fragen.

1 Wer mag Englisch nicht so gern?
2 Welche Fächer haben die Schüler?
3 Was ist Carlos Lieblingsfach?
4 Wann ist Volleyball?

5 Wo ist der Karatekurs?
6 Warum macht Carlo Karate?
7 Was ist ein Ausflug?
8 Wohin sind sie am Freitag gefahren?

## 5 Radio selbst machen

Macht in der Klasse eine Umfrage zum Thema „Freizeit". Bereitet in Gruppen die Umfrage vor.
Die Fragen von Übung 4 helfen dir.
Beispiel: Welche Hobbys hast du?
Ein Schüler ist Reporter.
Nehmt die Umfrage auf.

> Warum surfst du?

> Surfen macht mir Spaß.

## 6 Das Geräusche-Quiz

 **a)** Hör zu. Was ist das?

**b)** Macht selbst ein Geräusche-Quiz.

Nehmt Geräusche auf, zum Beispiel Ball, Kreide, Filzstift usw. Denkt auch an die Ansagen!

Ein Kind ist der Moderator:  Hallo, hier ist unser Geräusche-Quiz. Hört genau zu.
Nummer 1: Was ist das?

## 7 Hörspiel

**a)** Ordne die Stichworte den Bildern zu:

Kinder spielen – müde – schlafen – Pause – Pause aus – nicht da/suchen

**b)** Was sagen die Personen? Arbeitet in Gruppen die Szenen aus.

**c)** Überlegt, welche Geräusche nötig sind und probiert sie aus.

**d)** Nehmt das Hörspiel auf.

### 1 Hören: Arbeitsgemeinschaft „Schülerzeitung"

2/56 **a)** Hör zu und schau das Bild an.

2/56 **b)** Hör noch einmal zu. Nun beantworte die Fragen.

1 Wie viele Schüler gehören zur Redaktion der Schülerzeitung?

2 Wie oft hat sich die Gruppe schon getroffen?

**c)** Lies die Sätze. Was ist richtig? Was ist falsch?

| | | R | F |
|---|---|---|---|
| 1 | Die Schüler diskutieren über die Schule. | ? | ? |
| 2 | Sie wollen über die Schule schreiben. | ? | ? |
| 3 | Sie wollen auch Witze und Rätsel haben. | ? | ? |
| 4 | Anna kocht nicht gern. | ? | ? |
| 5 | Der neue Lehrer ist unsympathisch. | ? | ? |
| 6 | Alle Schüler können Texte abgeben. | ? | ? |
| 7 | Mario entschuldigt sich, denn er kommt zu spät. | ? | ? |
| 8 | Alle sind mit dem Thema „So ein Pech" einverstanden. | ? | ? |

**d)** Finde mit deinem Partner einen Namen für die Schülerzeitung.

### 2 So ein Pech!

Es war am letzten Wochenende im Oktober. Am 1 habe ich viel gelernt. Wir hatten nämlich am Montag eine Klassenarbeit, gleich in der ersten 2 .
Am Montag bin ich leider ziemlich spät aufgestanden. Ich habe schnell geduscht und die 3 geputzt. Dann habe ich schnell ein 4 und eine 5 angezogen und bin ohne 6 zur 7 gelaufen und zur Schule gefahren. Komisch! Es war ganz ruhig. Keine 8 , um Viertel vor acht? Die 9 war geschlossen. Ich habe auf die 10 gesehen: Viertel vor sieben! Richtig! Am Wochenende hat die Winterzeit angefangen. Es war eine Stunde früher. So ein Mist!

**a)** Schreib den Artikel. Ergänze die Wörter. Lösung:

? ? ? ? ? ? ? ? ? ?
1 2 3 4 5 6 7 8 9 10

| I Schule | W Sonntag | T Uhr | I Stunde | E Hose |
|---|---|---|---|---|
| R Frühstück | T Hemd | Z Bushaltestelle | N Zähne | E Schüler |

**b)** Schreib den Artikel. Ordne den Text.

A Im Juni hatten wir ein Sportfest. Es war auch eine andere Schule da. Zuerst haben wir Fußball gespielt. Die andere Schule hat gewonnen.

E Am Anfang war auch alles in Ordnung. Nach dem Start war ich gleich der Erste. Nur noch dreißig Meter, und ich war immer noch der Erste.

F Nach dem Volleyballspiel war Laufen dran. Natürlich bin ich für unsere Schule gelaufen.

N Da ist es passiert: Ich habe meinen Schuh verloren. Mit nur einem Schuh war ich natürlich nicht mehr so schnell. Und ein Schüler aus der anderen Schule hat gewonnen. Schade!

L Ich bin eigentlich sehr gut in Sport. Laufen kann ich besonders gut. Ich bin schnell.

U Dann haben wir Volleyball gespielt. Jetzt haben wir gewonnen.

Lösung: L ? ? ? ? ?
1 2 3 4 5 6

**c)** Schreib den Artikel. Ergänze die Wörter:

vergessen – bekommen – gewohnt – gekommen – gegeben – gegeben –
geschrieben – hatte – hatte – hatten – hatten – war – war – war – war – war

> Ich bin erst ein Jahr hier. Vorher habe ich in Stuttgart ⬤1 . Da ⬤2 wir einen Lehrer. Der hat uns die Klassenarbeiten immer so ⬤3 : zuerst alle Arbeiten mit der Note Sechs, dann alle mit Fünf, dann Vier, dann Drei, usw. Einmal haben wir eine Mathearbeit ⬤4 . Sie ⬤5 ziemlich schwer. Ich hatte bestimmt viele Fehler.
>
> Nach drei Tagen haben wir die Arbeit wieder ⬤6 . Ich ⬤7 Angst. Zuerst die Sechs, ich war nicht dabei. Dann die Fünf, wieder ohne mich. Ich ⬤8 froh. Dann die Vier; wieder nicht. Die Drei, auch nicht! War meine Arbeit so gut? Bei der Zwei ⬤9 ich wieder nicht dabei. Eine Eins! Ich war so glücklich. Aber was ⬤10 das? Der Lehrer ⬤11 fertig. Alle ⬤12 die Arbeiten, nur ich nicht. Am Ende ist der Lehrer zu mir ⬤13 . Er hat mir meine Arbeit ⬤14 . Ich ⬤15 eine Vier. Er hatte mich einfach ⬤16 .

## 3 Hören: Interview

 **a)** Hör zu. Wen interviewen die Kinder?

 **b)** Lies die Fragen. Dann hör zu. Welche Fragen kommen nicht vor?

**Fragen**

1 Wie geht es Ihnen?
2 Wann sind Sie zu uns gekommen?
3 Wie finden Sie es hier?
4 Woher kommen Sie?
5 Wo wohnen Sie denn?
6 Wen kennen Sie hier?
7 Wie alt sind Sie eigentlich?
8 Wie lange sind Sie schon verheiratet?
9 Wie heißt Ihre Frau?
10 Haben Sie Kinder?
11 Wie viele Kinder haben Sie denn?
12 Was für ein Haustier haben Sie?
13 Mögen Sie keine Tiere?
14 Was machen Sie in der Freizeit?
15 Welchen Sport machen Sie?
16 Mit wem spielen Sie denn Schach?
17 Wer ist Ihr Freund?
18 Wohin fahren Sie in den Ferien?
19 Was ist Ihr Lieblingsessen?
20 Warum essen Sie gern Würstchen?
21 Essen Sie nie Pizza?

**Antworten**

E Mir gefällt es hier sehr gut.
T Ich esse am liebsten Würstchen mit Kartoffelsalat.
T In der Gartenstraße.
R Wir fahren immer ans Meer.
P Ich spiele gern Schach. Und ich fahre gern Rad.
C Ich habe vor fünf Jahren geheiratet.
D Danke gut.
O Mit einem Freund.
U Ja.
D Ich habe gar kein Haustier.
S 35.
S Doch, aber ich habe keinen Platz.
H Maria.
N Ich habe zwei Kinder.
U Aus Köln.

Sie

du

**c)** Ordne die Antworten den Fragen zu.
Lösung: Welche Fächer unterrichtet Herr Wolters? ? ? ? ? ? ? ? ? ? ? ? ? ? ? ? ?

**d)** Schreibt das Interview für die Schülerzeitung.

**e)** Macht ein Interview mit eurem Deutschlehrer / eurer Deutschlehrerin.

## 4 Umfrage

**a)** Hör zu. Worum geht es in der Umfrage?

1 Musst du deine Hausaufgaben machen?
2 Musst du zu Hause helfen?
3 Musst du zu Hause bleiben?

# UMFRAGE: Hausfrau oder Hausmann?

| | |
|---|---|
| Sven: | Ich muss immer Mamas Fahrrad reparieren. |
| Alex: | Ich muss jeden Tag Geschirr spülen. |
| Hannes: | Ich muss immer mein Zimmer aufräumen. |
| Nora: | Ich muss immer den Vogelkäfig sauber machen. |
| Anke: | Ich muss jeden Tag die Oma besuchen. |
| Uta: | Ich muss immer den Müll rausbringen. |
| Maja: | Ich muss manchmal die Wäsche waschen. |
| Frank: | Ich muss gar nichts machen. |
| Niko: | Ich muss die Schuhe putzen. |

### Unsere Quiz-Frage heute:

- Wie passen die Bilder und die Aussagen der Kinder zusammen? Notiert der Reihe nach die ersten Buchstaben der Namen.
- Gebt die Lösung in der Redaktion der Schülerzeitung ab.
- Bei mehreren richtigen Lösungen entscheidet das Los.
- Auf den Gewinner wartet eine kleine Überraschung.

**b)** Hör noch einmal zu und schau die Bilder oben an.

**c)** Lös die Quiz-Frage.   ? ? ? ? ? ? ? ?
  1 2 3 4 5 6 7 8

**d)** Macht in der Klasse eine Umfrage zum Thema „Hausarbeit".
Ein Schüler ist Reporter und fragt: „Musst du zu Hause helfen?" Antworte auf die Frage.
Zu schwer? Dann kannst du eine Antwort aus der Schülerzeitung aussuchen.

## 5 Satzkarten-Spiel: Hausarbeit

Schreib auf eine Karte so einen Satz:   Ich muss das Zimmer aufräumen.

Schneide die Karte hier auseinander:   Ich muss | das Zimmer | aufräumen.

Die drei Kartenteile in drei Stapeln einsammeln. Jeden Stapel mischen.

Je eine Karte ziehen und vorlesen:   Ich muss | die Oma | rausbringen.

## 6 Lesen: Timos Beitrag

**a)** Lies die Geschichte. Stell Fragen mit dem Fragewürfel.
Wann? Wie lange? Was? Wer? Warum? und ?

Beispiel: Wie lange ist der Ausflug am Nachmittag? – Von … Uhr bis …

### Unsere Klassenfahrt

Unsere Klasse war im April auf Klassenfahrt, fünf Tage. Wir haben im Schullandheim Linden gewohnt.
Der Tagesablauf war fast jeden Tag gleich:

| | |
|---|---|
| 7.00 Uhr | Wecken und aufstehen |
| bis 7.45 Uhr | im Waschraum duschen, waschen, Zähne putzen usw., dann Anziehen, Bett machen, Zimmer aufräumen |
| 8.15 Uhr | Frühstück mit Tee oder Kakao und Brötchen mit Marmelade |
| 9.00–12.00 Uhr | Unterricht |
| 12.30 Uhr | Mittagessen |
| bis 14.00 Uhr | Mittagspause |
| 14.00–17.00 Uhr | kleiner Ausflug, Spaziergang, Sport Wichtig! Nachher Schuhe ausziehen und Hausschuhe anziehen! |
| 17.30 Uhr | Abendessen |
| 19.00–20.30 Uhr | gemeinsame Spiele |
| 21.00 Uhr | ins Bett gehen |
| 21.30 Uhr | Ruhe! |

Nur am Mittwoch war alles anders. Da war unser großer Ausflug, den ganzen Tag. Kein Unterricht, aber auch
kein Mittagessen, dafür ein Picknick. Start war um 9.00 Uhr. Der Lehrer hat uns wie üblich um 7.00 Uhr
geweckt. Alle sind aufgestanden, nur ich war müde und habe weitergeschlafen. Ich habe nicht einmal gehört,
wie die anderen aus dem Waschraum gekommen sind. Auf einmal bin ich aufgewacht. Viertel vor neun! Was?
So spät? Ich bin in den Waschraum gelaufen und habe mir ein bisschen Wasser ins Gesicht gespritzt. Dann
habe ich mich schnell angezogen und bin in den Hof gelaufen, natürlich ohne Frühstück. Die anderen waren
schon fertig, mit festen Wanderschuhen und Rucksack, in dem die Wurstbrote für unser Picknick waren.
Nur ich hatte nichts. Na ja, habe ich mir gedacht. Da kann man nichts machen. Vielleicht kann ich ja irgendwo
etwas kaufen. Wir sind losgegangen. Nach 300 Metern hat mich der Lehrer gerufen. Was war denn los?
Ich bin stehen geblieben. Herr Altmann hat gemeint, so kann er mich nicht mitnehmen. Ich habe
ihm erklärt, das mit dem Picknick ist nicht so schlimm. Ich habe keinen Hunger. Aber das war
nicht das Problem. Ich hatte noch meine Hausschuhe an!

**b)** Wie sieht dein Tag aus? Beschreibe: Um … Uhr stehe ich auf. …

## 7 Miteinander reden

Macht Gruppen. Schreibt Karten zum Thema „Mein Tag".

| Mein Tag am Morgen | Mein Tag am Nachmittag | Mein Tag zu Hause |
|---|---|---|

Beispiel: am Morgen

● Wann stehst du auf?

■ Um halb sieben.

# Lektion 53-56
## Das kann ich schon

### Vorlieben ausdrücken

Was siehst du gern? Was siehst du lieber, … oder …?
Siehst du gern …? – Nein, lieber … / Ja, aber lieber …

### sich ärgern

(Ach,) Mensch! – Mist!

### über das Befinden sprechen

Heute fehlt … Er/Sie ist krank. Er/Sie hat Hals-schmerzen/Kopfschmerzen/Bauchschmerzen/Ohrenschmerzen. – Sein/Ihr Hals/Kopf/… tut weh.

### Informationen über Personen erfragen

Woher kommen Sie? Wo wohnen Sie? Wie alt sind Sie? Was machen Sie in der Freizeit? Welchen Sport machen Sie? Mit wem spielen Sie …? Wohin fahren Sie in den Ferien? Was ist Ihr Lieblingsessen?

### zu Hause arbeiten

helfen, reparieren, Geschirr spülen, aufräumen, sauber machen, den Müll rausbringen, die Wäsche waschen, Schuhe putzen

### über den Tag berichten

wecken – aufstehen – Zähne putzen – anziehen – Frühstück – Mittagessen – Abendessen – ins Bett gehen

---

**1** Fragen nach

| | | | |
|---|---|---|---|
| einer Person: | **Wen** ruft das Mädchen an? | – Den Opa. |
| einer Sache: | **Was** bringt Lukas mit? | – CDs. |

**2**

| | |
|---|---|
| Sieht Simons Mutter fern? | Ja. |
| Will Simon spielen? | Nein. |
| Sieht die Schwester **keinen** Film? | **Doch.** |
| Sieht Simon **nicht** fern? | **Doch.** |
| Sieht Simons Vater **nichts**? | Nein. |

**3**

| **Sie** | **du** |
|---|---|
| Woher kommen Sie? | Woher kommst du? |
| Wie alt sind Sie? | Wie alt bist du? |
| Was für ein Haustier haben Sie? | Was für ein Haustier hast du? |
| Mögen Sie Tiere? | Magst du Tiere? |
| Wer ist Ihr Freund? | Wer ist dein Freund? |
| Wie heißt Ihre Frau? | Wie heißt deine Freundin? |
| Wie geht es Ihnen? | Wie geht es dir? |

**4**

| sein Kopf | ihr Kopf |
|---|---|
| sein Gesicht | ihr Gesicht |
| seine Nase | ihre Nase |
| seine Ohren | ihre Ohren |

**5**

| | kommen | fahren | essen | mögen | haben | sein |
|---|---|---|---|---|---|---|
| ich | komme | fahre | esse | mag | habe | bin |
| du | kommst | fährst | isst | magst | hast | bist |
| er/es/sie | kommt | fährt | isst | mag | hat | ist |
| wir | kommen | fahren | essen | mögen | haben | sind |
| ihr | kommt | fahrt | esst | mögt | habt | seid |
| sie/**Sie** | komm**en** | fahr**en** | ess**en** | mög**en** | hab**en** | **sind** |

# Wir!

## 1 Comic

**a)** Schau die Comics an. Was sagen die Personen? Was glaubst du?

## 2 Comic

**b)** Wohin gehören die Sätze?

**c)** Hör zu und lies mit.

Danke! • Die haben ja recht. Ich sehe wirklich komisch aus. • Vielleicht etwas basteln. Aber was? • Der ist ja nett! • Gute Idee. • Oh, entschuldige. • Keine Ahnung • Seht mal! Der sieht ja komisch aus! • Mama, Papa, das ist für euch. • Ich bin Theo. Und das sind Udo und Rolf. • Das sind doch keine Affen. Das seid ihr. • Das ist mein Freund.

**1 Der erste Tag**

**Feriencamp International lädt ein** Kinder und Jugendliche von 11 bis 16 Jahren aus allen Ländern Europas

■ tolle Freizeitaktivitäten z.B. Reiten, Tennis usw.

■ Sprachkurse

■ und vor allem: junge Leute aus anderen Ländern kennenlernen!

**a)** Schau die Bilder an und lies den Text. Was findest du auch im Text?

**b)** In der Anzeige geht es um

    **1** Schule    **2** Ferien    **3** Europa

3/4-8 **c)** Hör die Szenen einzeln. Mach Notizen zu diesen Fragen:

Woher kommt …? Wann ist … angekommen? Wie lange bleibt …?

 **2 Rollenspiel: Kennenlernen**

| | |
|---|---|
| Woher kommst du? | Aus Österreich/Italien/Spanien/England/ Aus der Schweiz/Türkei/Slowakei. |
| Wie heißt du? | Ich heiße … |
| Wann bist du angekommen? | Vor zwei Tagen. / Vor einer Woche. / Gestern. / Am Samstag. / … |
| Wie lange bleibst du? | (Noch) eine Woche / zwei Tage. / Bis morgen/Sonntag. / … |
| Wie alt bist du? | Elf./Zwölf. /… / Ich bin … Jahre alt. |
| Welche Hobbys hast du? | Reiten/Surfen/Schwimmen/… Ich mache / spiele gern … |
| Was machst du in der Freizeit? | Ich gehe ins Kino / auf den Sportplatz / … |
| Machst/Spielst du gern …? | Ja, sehr gern. / Nein, nicht so gern. / Ja, aber lieber … / Nein, lieber … |
| Wer spielt mit mir …? | Ich. / Wir. |

Wie bitte?
Ich verstehe nicht.
Bitte noch einmal!

3/9 **a)** Lies die Fragen und die Antworten. Mach das Buch zu. Nun hör die Antworten. Welche Frage passt? Wiederhole.

**b)** Bereite mit deinem Partner ein Rollenspiel vor: Ihr lernt euch kennen. Du sprichst gut Deutsch, dein Partner nur wenig. Zum Verstehen sind auch Gesten wichtig! Also auch mit Händen und Füßen sprechen!

## 3 Hallo! Ahoj! Salut!

| Hallo! | Ahoj! | Hello! | ¡Hola! | Salut! | Merhaba! |
|---|---|---|---|---|---|
| Guten Tag! | Dobrý den! | Good morning! | ¡Buenos días! | Bonjour! | İyi günler! |

| Meike | Adam | Tim und Tom | Teresa | Daniel | Kemal |
|---|---|---|---|---|---|
| Deutschland | Tschechien | England | Spanien | Frankreich | Türkei |

**a)** Hör zu und sprich nach.

**b)** Hör zu und lies oben mit. Wie grüßt man da?

## 4 Lied: Adam kommt aus Tschechien

1  Adam kommt aus Tschechien.
Und ich lach' ihn freundlich an.
Dobrý den, ahoj, ahoj!
Das versteh' ich nicht.
Ach natürlich! Und ich sag:
Hallo, hallo! Guten Tag.

2  Teresa kommt aus Spanien.
Und ich lach' sie freundlich an.
¡Buenos días! ¡Hola, hola!
Das versteh' ich nicht. …

3  Tim und Tom kommen aus England.
Und ich lach' sie freundlich an.
…

**a)** Hör zu und sprich nach. Mach weitere Strophen.

**b)** Schreib eine neue Liedstrophe auf und leg sie in dein Portfolio.

## 5 Gedicht: Wir Kinder (von Rainer Schnurre)

Wir Kinder
mit der weißen Haut
sind nicht die einzigen Kinder auf der Erde.

Wir Kinder
mit der schwarzen Haut
sind nicht die einzigen Kinder auf der Erde.

Wir Kinder
mit der gelben Haut
sind nicht die einzigen Kinder auf der Erde.

Wir Kinder
mit der roten Haut
sind nicht die einzigen Kinder auf der Erde.

Wir sind alle gleich.
Wir Kinder
mit roter, gelber, weißer und schwarzer Hautfarbe.

Auch wenn wir uns einmal streiten –
wir vertragen uns immer wieder.
Wir, die Kinder auf der ganzen Welt.

**a)** Hör zu und lies mit.

**b)** Schau die Bilder rechts an. Zu welcher Zeile passen sie?

**c)** Lernt das Gedicht auswendig. Bereitet es in Gruppen vor.
Jeder spricht einen Abschnitt. Tragt es vor der Klasse vor.

Familienname: Rocca
Vorname: Anna
Adresse: Via stazione 3
Verona
Hobbys: Lesen, Musik hören
Lieblingssport: Schwimmen
Lieblingsessen: Pizza
Lieblingsfach: Mathe
Lieblingsband: Elisa

Familienname: Kilas
Vorname: Takis
Adresse: Goetheplatz 10
München
Hobbys: Computerspiele,
Inlineskaten
Lieblingssport: Turnen
Lieblingsessen: Fischsuppe
Lieblingsfach: Sport
Lieblingsband: keine

Familienname: Hudec
Vorname: Jakub
Adresse: Mostová 8
Bratislava
Hobbys: Musik hören,
Gitarre spielen
Lieblingssport: Tennis
Lieblingsessen: Gemüse
Lieblingsfach: Englisch
Lieblingsband: Horkýže Slíže

Familienname: Sprenger
Vorname: Klara
Adresse: Faberstraße 7
Salzburg
Hobbys: Klavier spielen, Basteln,
Klettern
Lieblingssport: Schi fahren
Lieblingsessen: Kaiserschmarrn
Lieblingsfach: Deutsch
Lieblingsband: Tokio Hotel

**a)** Lies die Angaben aus den Ich-stelle-mich-vor-Karten. Wer ist das?

1  Seine Adresse ist Mostová 8 in Bratislava.
   Wer ist das?

2  Seine Hobbys sind Musik hören und Gitarre spielen.

3  Sein Lieblingssport ist Tennis.

4  Sein Lieblingsessen ist Fischsuppe.

5  Sein Lieblingsfach ist Sport.

6  Seine Lieblingsband ist Horkýže Slíže.

7  Sein Familienname ist Kilas.

8  Ihre Adresse ist Faberstraße 7 in Salzburg.
   Wer ist das?

9  Ihre Hobbys sind Musik hören und Lesen.

10 Ihr Lieblingssport ist Schi fahren.

11 Ihr Lieblingsessen ist Pizza.

12 Ihr Lieblingsfach ist Deutsch.

13 Ihre Lieblingsband ist Tokio Hotel.

14 Ihr Familienname ist Rocca.

**b)** Hör genau zu. Wo sind die Fehler? Der Familienname ist immer richtig!

**c)** Mach selbst weitere Beschreibungen mit Fehlern. Wer findet den Fehler?

## 7 *Ratespiel: Meine Ich-stelle-mich-vor-Karte*

**a)** Du hast in Lektion 43 eine Ich-stelle-mich-vor-Karte gemacht. Nimm sie aus dem Portfolio
und ergänze: Lieblingssport, Lieblingsessen, Lieblingsfach, Lieblingsband.

**b)** Sammelt alle Karten ein. Ein Schüler zieht eine Karte und liest vor:
bei Jungen:  Sein/Seine … ist …
bei Mädchen: Ihr/Ihre … ist …
Aber nicht die Namen nennen! Die anderen raten.

## 8 Eine Karte aus dem Feriencamp

Liebe Rosi,
jetzt bin ich schon zwei Wochen hier im Feriencamp. Und es gefällt mir sehr gut. Jeden Tag
Sonne! ☀
Ich schwimme viel und spiele oft Tennis. Ich habe
sogar Reiten gelernt. Da habe ich gestern auch
kennengelernt. Er kommt aus              . Er liebt
Pferde, so wie ich. Er ist so hübsch! Er sieht so gut
aus, wenn er auf dem Pferd sitzt, groß, schlank,
stark. Er ist so sportlich, so sympathisch! Und
seine Haare sind blond! Er bleibt zum Glück noch
zwei Wochen. Ich auch!
Liebe Grüße, Deine Meike
PS: Ich muss unbedingt besser reiten lernen.

Rosi Nickel
Burgstraße 11
67482  Altdorf

a) Beantworte die Fragen.

1 Was macht Meike im Camp?
2 Wie lange sind Meikes Ferien im Camp?

b) Wie ist der Junge?
Was ist richtig?

| | | | | |
|---|---|---|---|---|
| D | sportlich | oder | unsportlich | M |
| A | hübsch | oder | nicht schön | H |
| J | klein | oder | groß | N |
| I | schlank | oder | dick | R |
| P | schwarz | oder | blond | E |
| L | stark | oder | schwach | X |

Lösung: Er heißt ? ? ? ? ? ? .

 c) Hör die Sätze zur Kontrolle.

d) Schau das Bild von Übung 3 an. Woher kommt der Junge?

## 9 Miteinander reden

a) Macht Gruppen. Schreibt Karten zum Thema „Schule".

SCHULE
Unterrichtsfächer

SCHULE
Lehrer

SCHULE
Noten/Zeugnisse

Legt die Karten verdeckt auf den Tisch. Eine Karte nehmen, fragen und antworten.
Beispiel: Fächer

Was ist dein Lieblingsfach?        oder    Welche Fächer magst du gern / nicht so gern?
Beispiel: Lehrer

Wie ist dein Klassenlehrer?        oder    Wie sieht dein Sportlehrer aus?
Beispiel: Noten

Welche Note hast du in Mathe?      oder    Wie ist dein Zeugnis?

b) Schreibt auch Karten zum Thema „Freizeit".

**1  Ein Brief**

Dresden, 18. März

Liebe Sarah,

wie geht es Dir? Hast Du viel Stress in der Schule? Hoffentlich nicht.

Wir sind umgezogen. Wir wohnen jetzt im Zentrum von Dresden, in der Altstadt.

Aber ich kann in meiner alten Schule bleiben und habe meine Freunde wie immer.

5  Das ist super. Und noch etwas ist ganz toll: Unsere neue Wohnung ist ziemlich groß.

Wir haben jetzt vier Zimmer, einen Balkon und eine große Küche. Mama ist ganz

glücklich. Da macht Kochen Spaß, sagt sie.

Stell Dir vor, ich habe endlich ein eigenes Zimmer! Wirklich wahr! Ein eigenes Zimmer! Letzte Woche

war ich mit meinen Eltern einkaufen. Ich habe mir so schöne Sachen ausgesucht. Und jetzt ist mein

10  Zimmer toll eingerichtet. Und so gemütlich! Alles ist grün. Grün ist doch meine Lieblingsfarbe.

Magst du Grün auch?

Ich schicke Dir ein paar Fotos mit. Dann kannst Du alles selbst sehen. Wie gefällt Dir denn das Sofa?

Ist das nicht toll? Über dem Sofa ist mein Bett – ein Hochbett!! Nachts kann ich wunderbar darin

schlafen, und am Tag kann ich ganz gemütlich unter dem Bett sitzen und lesen. Das Hochbett finde

15  ich soooo toll!

Überall hängen meine Bilder und Tier-Poster. Der Schrank ist neu und der Schreibtisch natürlich auch.

Die Lampe ist vielleicht ein bisschen verrückt, aber mir gefällt sie. Dir auch? Endlich kann ich meine

Hausaufgaben in Ruhe machen. Und deshalb muss ich von jetzt ab nur noch gute Noten schreiben,

sagt meine Mutter. Haha!

20  Auf jeden Fall bin ich total glücklich mit meinem neuen Zimmer. Du musst unbedingt bald kommen.

Du kannst bei mir schlafen. Das Zimmer ist groß genug. Da gibt es Platz für eine Matratze, oder so.

Vielleicht schon in den nächsten Ferien? Wann sind denn Eure Ferien? Hoffentlich bald.

Viele Grüße

Deine Meike

**a)** Schau die Fotos an. Wo kommen die Sachen im Brief vor? Nenn die Zeilen.
Sprich so: Bild 1 passt zu Zeile …

**b)** Beantworte die Fragen.

1  Wie ist die neue Wohnung?

2  Wie viele Zimmer hat die Wohnung?

3  Wem gefällt die Küche besonders gut?

4  Welche Farbe hat der Schreibtisch?

5  Wie ist die Lampe?

6  Wo ist das Hochbett?

7  Was gefällt Meike in ihrem Zimmer am besten?

## 2 Wo steht das?

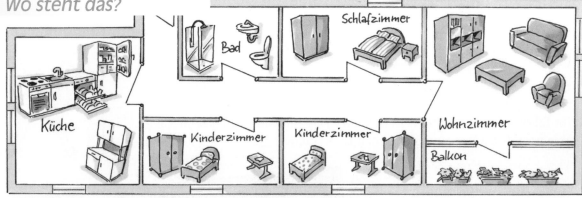

Schrank     Tisch     Stuhl     Kühlschrank     Sofa     Bett

Lampe     Toilette     Spülmaschine

**3/21** a) Hör zu, zeig mit und sprich nach.

**3/22** b) Hör genau zu. Was passt nicht?

**3/23** c) Hör zu und antworte laut.

d) Frag deinen Partner: Wo steht …? – Im Schlafzimmer. / … / Im Bad. / In der Küche.
Was steht im Wohnzimmer / im Kinderzimmer / in der Küche /…?
Ein Tisch / eine Lampe / …

## 3 Spiel: Unsere Wohnung – eure Wohnung

a) Zwei Spieler bilden eine Gruppe. Zwei Gruppen spielen gegeneinander.
Die beiden Spieler einer Gruppe zeichnen gemeinsam eine Wohnung.
Dann zeichnen sie Möbel in die verschiedenen Zimmer. Es kann auch Quatsch sein.
Die Gruppen fragen im Wechsel.

1   **Gruppe A:**
Hat euer Wohnzimmer
einen Tisch?

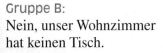 **Gruppe B:**
Nein, unser Wohnzimmer
hat keinen Tisch.

2   **Gruppe B:**
Hat eure Küche
ein Bett?

  **Gruppe A:**
Ja, unsere Küche
hat ein Bett.

| euer/unser | euer/unser | eure/unsere |
|---|---|---|
| Balkon | Wohnzimmer | Küche |
| | Schlafzimmer | |
| | Kinderzimmer | |
| | Bad | |

Für jeden erratenen Gegenstand gibt es einen Punkt.
Jede Gruppe darf sechsmal raten. Wer hat am Schluss die meisten Punkte?

b) Vergleicht eure Wohnungen. Sprecht so: Wie findet ihr unser Wohnzimmer / unseren Balkon? –
Wir finden euer Wohnzimmer / euren Balkon schön / nicht so … / doof.

## 4 Laute und Buchstaben

**a)** Hör zu und lies mit.

Wohnzimmer – Kühlschrank – Stuhl – Wohnung – Uhr – Bahnhof –
Lehrer – Zähne – Uhr – ihr – Ohr

**b)** Wenn nach dem Vokal ein h steht, spricht man den Vokal lang!

**c)** Lies laut. Dann hör zu.

Ihr fahrt mit dem Fahrrad zum Bahnhof. Das Baby hat schon zehn Zähne.
Wie geht's? Im Wohnzimmer stehen zehn Stühle.

## 5 Post von Sarah

Liebe Meike,
vielen Dank für die ⬭1⬭ .
Ich komme am ⬭2⬭ um ⬭3⬭
mit dem ⬭4⬭ .
Holst du mich am ⬭5⬭ ab?
Bis bald!
Deine Sarah

← Bitte wenden. Unser Haus!

Meike Bach
Altmarkt 24
D-01067 Dresden
Deutschland

Ergänze die Wörter: Zug – dritten April – Bahnhof – Einladung – 14.30 Uhr.

## 6 Postkarten aus aller Welt

Iglu

Tipi

Hochhaus

Hütte

Bauernhaus

Fale

**a)** Hör zu und zeig auf den Bildern mit.

**b)** Hör noch einmal zu und schau die Bilder an. Wo findet man das?

| | | |
|---|---|---|
| 1 in Hongkong | 3 in Samoa | 5 in Österreich |
| 2 im Norden | 4 in Afrika | 6 in Kanada |

? ? ? ? ? ?
1 2 3 4 5 6

## 7 E-Mail von Planetino

| Von: | planetino@planetanien.weltall |
|---|---|
| An: | steffi@planetino_drei.de; carlo@planetino_drei.de; lea@planetino_drei.de |

Hallo,
wir sind umgezogen. Unser Haus ist ganz neu und sehr schön.
Es ist … und hat … Es gibt … Im / In der … steht/ist …
Viele Grüße, Euer Planetino

Wie sieht wohl Planetinos Haus aus? Schreib Planetinos Mail und beschreibe das Haus.
Du kannst auch ein Bild malen. Leg die Mail und das Bild in dein Portfolio.

## 8 Schreibspiel

Jeder Mitspieler hat ein Blatt. Schreib auf das Blatt:

Unser Haus   oder   Unsere Wohnung

Falte das Blatt nach hinten um. Gib das Blatt nach links weiter.

Schreib nun: ist klein/groß/hübsch/schön/alt/neu/gemütlich/…

Falte das Blatt wieder um und gib es nach links weiter.

Schreib nun:

| Im Garten | oder | Im Wohnzimmer | oder | In der Küche |
|---|---|---|---|---|
| Auf dem Balkon | | Im Schlafzimmer | | In der Toilette |
| | | Im Bad | | |

Das Blatt umfalten und nach links weitergeben.

Schreib: ist ein Schrank. / ein Bett. / eine Lampe. / …

Das Blatt umfalten und nach links weitergeben.

Schreib zum Schluss:

Da | schlafen | wir.
   | kochen
   | essen
   | spielen

Mach das Blatt auf. Wer hat den schönsten Quatsch?

Unser Haus
IST ALT.
Im Wohnzimmer
ist ein Bett.
Da kochen wir.

## 9 Wohnen im Baum

1   Wer möchte nicht gern in diesem sagenhaften Baumhaus wohnen? Steve Rondel aus
    Redmond in den USA hat wohl bei seinem Haus an ein Märchenschloss gedacht.

2   Seit Benjamin stolzer Baumhausbesitzer ist, bekommt er gern Besuch. Allerdings nicht
    von den Großen. Wer hinauf möchte, der muss klettern.

3   Die Korowai, ein Volk im Regenwald von Papua-Neuguinea, leben ganz weit oben.
    Ihre Baumhäuser befinden sich in 50 Meter Höhe. Dort sind sie vor Raubtieren sicher.

Ordne die Bilder den Texten zu:  ?  ?  ?
                                  1  2  3

**1 Hören: Unsere Mitschüler**

 a) Hör zu und schau die Bilder an. Wer spricht?

 b) Hör das Interview noch einmal in Abschnitten. Mach dir Notizen: Name, Alter …

c) Lies die Sätze. Zu wem passen die Sätze?

Aynur

Pedro

Eno

Natascha

1 Er kommt aus Spanien und lebt schon fünf Jahre in Deutschland.

2 Sie kommt aus Russland und ist erst drei Jahre hier.

3 Er kommt aus Nigeria. Er ist erst zwei Jahre in Deutschland.

4 Ihre Eltern kommen aus der Türkei. Sie ist in Deutschland geboren.

5 Sie ist elf Jahre alt.

6 Er ist zwölf Jahre alt.

7 Er ist elf Jahre alt.

8 Sie ist zehn Jahre alt.

9 Sie hat zwei Brüder.

10 Er hat eine Schwester.

11 Sie hat keine Geschwister. Sie ist allein.

12 Er hat zwei Geschwister.

13 Er kann schon ganz gut Deutsch.

14 Sie kann Deutsch, aber besser Russisch.

15 Sie spricht zu Hause Deutsch oder Türkisch.

16 Er spricht zu Hause Deutsch und Spanisch.

17 Sie hatte am Anfang Probleme. Jetzt ist Deutsch ihr Lieblingsfach.

18 Er hat gute Noten. Mathe ist sein Lieblingsfach.

19 Ihr Lieblingsfach ist Kunst.

20 Sein Lieblingsfach ist Sport.

21 Sie hat vier Freundinnen.

22 Er hat zwei Freunde und eine Freundin.

23 Sie hat zwei Freundinnen.

24 Er hat einen Freund.

25 Sein Hobby ist Fußball.

26 Sie geht gern ins Kino.

27 Sie hört Musik und bastelt gern.

28 Er schwimmt gern und spielt Schach.

29 Er isst am liebsten Nudelsalat.

30 Ihr Lieblingsessen ist Borschtsch.

31 Sie isst gern Köfte.

32 Er mag das deutsche Essen, aber lieber Paella.

d) Lies noch einmal die Sätze. Schreib kleine Geschichten.
Schreib so: Das ist Pedro. Er kommt …

## 2 Was schmeckt dir?

Borschtsch      Nudelsalat      Paella      Köfte

Eno:
_____ schmeckt mir gut.

Aynur:
Ich mag sehr gern _____ .

Natascha:
Ich esse gern _____ .

Pedro:
_____ schmeckt mir am besten.

**a)** Wer sagt was? Ordne zu. Dann hör noch einmal den Text von Übung 1.

**b)** Frag deinen Partner: Was schmeckt dir gut / am besten?

## 3 Reporter-Spiel

**a)** Stell dir vor, du bist Reporter und interviewst Aynur, Eno, Natascha und Pedro.
Welche Fragen stellst du? Schreib Fragen auf:
Woher kommst du? Wie lange bist du schon in Deutschland? Wie gefällt es dir hier?
Wie viele Geschwister hast du? Wie gefällt dir die Schule? Was ist dein Lieblingsfach?
Mit wem spielst du? Sprecht ihr / sprichst du zu Hause Spanisch/…?
Was schmeckt dir? Wie schmeckt dir Pizza? usw.
Leg die Reporter-Fragen in dein Portfolio.

**b)** Schreibt die Namen Aynur, Eno, Natascha, Pedro auf Zettel.
Vier Kinder ziehen die Zettel. Die anderen dürfen aber nicht
sehen, wer sie sind. Die anderen Kinder sind die Reporter.
Sie fragen. Die vier müssen richtig antworten.
Zwei Fragen dürfen die Reporter **nicht** stellen:
Wie heißt du? Woher kommst du?
Wer findet am schnellsten heraus, wer Pedro ist, oder Aynur
oder Eno oder Natascha?

## 4 Lesen: Besuch aus Ungarn

„Kinder, wir haben Besuch aus Ungarn", sagt Frau Holl, die Klassenlehrerin. „Dorka, stell unseren Besuch doch mal vor."

„Also, das ist Bence, mein Cousin", sagt Dorka. „Er kommt aus Budapest. Er möchte ein paar Tage in unserer Klasse bleiben. Er kann aber kein Deutsch."

5 „Der sieht ja nett aus", denkt Tina. „Vielleicht kann ich ihm ein bisschen Deutsch beibringen."

In der Pause geht Tina zu Bence. „Hallo, ich bin Tina. Möchtest du?", fragt sie und hält Bence ein Käsebrötchen hin. „Das ist ein Käsebrötchen. Käse-brötchen!" Bence nimmt das Brötchen und sagt:
„Köszönöm."

„Nein, Käsebrötchen", sagt Tina. Das hört Dorka.

10 Sie lacht: „Tina, *köszönöm* ist Ungarisch und heißt *danke*."

„Ach so", sagt Tina und lacht auch. Dorka flüstert Bence etwas ins Ohr.

„Danke, Tina", sagt Bence. Tina freut sich: „Du

15 kannst ja schon ein bisschen Deutsch. Toll! Und ich lerne jetzt Ungarisch!"

Beantworte die Fragen.

1 Wie heißt der Besuch?
2 Wer ist Bence?
3 Woher kommt Bence?
4 Wie findet Tina den Jungen?
5 Wer möchte Bences Deutschlehrerin sein?
6 Was gibt Tina Bence?
7 Welches Wort kann Bence schon auf Deutsch?

## 5 Guten Appetit!

a) Lies die Texte oben und die Geschichte unten. Die Familie möchte etwas essen. Welchen Weg geht sie?

> Familie Gonzales geht einkaufen. Es ist Mittag. Und sie haben Hunger. Mutter möchte gleich im Kaufhaus essen. Aber da schmeckt es Vater nicht. Er möchte ein Steak. Also gehen sie zu einem Restaurant. Pedro will unbedingt eine Currywurst. Aber die gibt es im Restaurant nicht. Auf zur Würstchenbude! Aber Carmen ist dagegen. Sie isst nie Würstchen. Am liebsten isst sie Chinesisch. Und außerdem ist es am Mittag dort sehr billig. Vater mag chinesisches Essen nicht so gern, aber er geht mit. Da sieht Pedro eine Dönerbude. Jetzt möchte Pedro einen Döner. Das darf doch nicht wahr sein! Sonst isst er nie Döner! Nun wird es Vater zu viel. Sie gehen nach Hause und bestellen eine Pizza beim Heimservice. Guten Appetit!

b) Beantworte die Fragen mit *Ja* oder *Doch* oder *Nein*.

Lösung: ?  ?  ?  ?  ?  ?
1  2  3  4  5  6

1  Hat die Familie keinen Hunger?

2  Möchte Vater ein Steak?

3  Isst Carmen nie Würstchen?

4  Isst die Familie nicht zu Hause?

(3/31) c) Eine Woche später. Hör zu: Wo ist Familie Gonzales heute?

## 6 Miteinander reden

Macht Karten zum Thema „Essen". Beispiel:

Schmecken dir Würstchen?

Gib mir bitte den Fisch!

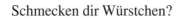

**1** *Viele Feste*

C
Joyeux Noël!

¡Feliz Navidad!

Merry Christmas!

Vesele Vianoce!

Buon Natale!

Kellemes Karacsonyiunnepeket!

wesolych Swiat!

U

Happy birthday!

S

Bonne Année !

Felice Anno Nuovo!

¡Feliz Año Nuevo!

Happy New Year!

Mutlu Yıllar!

Feliz Ano Novo!

Šťastný Nový Rok!

W
Wir heiraten

Tim Wegner und

Verena Scholz

Die Hochzeit findet am 17. Mai in Altdorf statt.

N

Καλο Πασχα

H

Einladung zu unserer Karnevalsparty

am Samstag, 25.2. um 19.00 Uhr
Kommt bitte maskiert!

**a)** Welche Karten sagen das?

1 Frohe Ostern

2 Ein gutes neues Jahr

3 Frohe Weihnachten

4 Herzlichen Glückwunsch zum Geburtstag

**b)** Bei diesem Fest kann man „Alles Gute" wünschen: richtig oder falsch?

| | | | | | |
|---|---|---|---|---|---|
| 1 Hochzeit | R F | 3 Ostern | R F | 5 Neujahr | R F |
| 2 Karneval | R F | 4 Geburtstag | R F | 6 Weihnachten | R F |

**3/32-37** **c)** Hör die Szenen. Zu welchen Karten passen sie?   ? ? ? ? ? ?

**3/32-37** **d)** Hör die Szenen noch einmal. Beantworte die Fragen.   1 2 3 4 5 6

1 Wohin fährt das Hochzeitspaar?

2 Was hat Oma Leo geschenkt?

3 Was bedeutet „Kalo Pascha"?

4 Um wie viel Uhr gehen die Leute raus?

5 Was kann man vor Weihnachten überall sehen?

6 Welches Kostüm will das Kind zur Karnevalsparty tragen?

## 2 Wann wünscht man das?

a) Ordne die Wünsche den Anlässen zu.

| | | |
|---|---|---|
| B Guten Appetit! | A Schönes Wochenende! | G Schönen Nachmittag! |
| U Frohe Ostern! | E Viel Glück! | T Ein gutes neues Jahr! |
| G Schöne Ferien! | S Frohe Weihnachten! | T Gute Besserung! |
| R Viel Spaß! | | |

| | | |
|---|---|---|
| 1 vor den Ferien | 4 zu Ostern | 7 am 24. Dezember |
| 2 vor der Klassenarbeit | 5 vor einer Party | 8 bei Krankheit |
| 3 zum Essen | 6 am 31. Dezember | 9 am Freitag |
| | | 10 nach der Schule |

Lösung: Herzlichen Glückwunsch sagt man zum ? ? ? ? ? ? ? ? ? ? .
1 2 3 4 5 6 7 8 9 10

b) Spielt kleine Szenen, zu denen die Wünsche passen.

c) Zeichne einen Comic und trag den richtigen Wunsch ein. Leg den Comic in dein Portfolio.

d) Wünsche-Memo: Schreibt Karten in zwei verschiedenen Farben:

vor den Ferien    Schöne Ferien!

## 3 Lesen: Was feiert ihr?

1 Ich wohne in England. Bei uns ist der 31. Oktober wichtig, vor allem für uns Kinder.
Da ist nämlich Halloween. Wir machen Geistergesichter aus Kürbis und erschrecken die Leute.

2 Bei uns in Österreich gehen Kinder als Sternsinger zwischen Neujahr und dem 6. Januar von Haus
zu Haus. Sie singen und sammeln Geld für arme Kinder in der ganzen Welt.

3 Ich komme aus Schweden. Bei uns ist Santa Lucia im Dezember ein wichtiges Fest für die Kinder.
Ein Mädchen ist Santa Lucia und trägt eine Lichterkrone. Und es gibt Kuchen für alle.

a) Ordne die Bilder den Texten zu. ? ? ?

b) Wie ist das bei euch? Habt ihr 1 2 3
auch besondere Feste?

1 Ina hat Geburtstag. Sie hat David, Johanna und Udo eingeladen. Sie feiern im Garten. Zum Schluss lassen sie vier Luftballons fliegen. An jedem Ballon hängt eine Karte mit Namen, Alter und Adresse des Kindes, dem der Ballon gehört.
Darauf steht:   *Hallo – ich grüße Dich!*
                      *Bitte schreib mir!*

2 Der gelbe Ballon von Johanna sinkt schon bald herab.
Ein Mann findet ihn. Er liest die Karte, lacht und nimmt den Ballon mit nach Hause. Er hat eine kleine Tochter. Elke heißt sie. Elke schreibt Johanna eine Karte.

3 Der blaue Ballon von Udo fliegt ein Stück weiter. Er landet in einem See. Drei Jungen angeln ihn heraus. Die Karte ist nass. Aber sie können noch lesen, was darauf steht.

4 Der lila Ballon von Ina fliegt noch weiter. Er sinkt nachts in einen Birnbaum.

5 Der rote Ballon von David fliegt am weitesten: bis nach Polen. Dort sinkt er auf ein Schuldach. Der Lehrer holt den Ballon herunter. Die Kinder staunen:
Eine Karte aus Deutschland!

6 Zuerst bekommt Johanna eine Karte. Dann Udo.
Nach einem Monat kommt für David ein Brief aus Polen an. Davids Mutter hat eine Freundin, die kann Polnisch. Sie übersetzt den Brief.

7 Ina muss vier Monate warten. Rudi hat geschrieben:
      *Liebe Ina,*
      *ich habe Deinen Ballon in unserem Birnbaum gefunden.*
      *Aber erst im Herbst, als die Blätter abgefallen sind.*
      *Ich bin hinaufgeklettert und habe ihn heruntergeholt.*
      *Viele Grüße von Rudi*

8 Jetzt schreiben die Kinder hin und her.
Sie haben sich sogar vorgenommen, einander zu besuchen. Sie wollen sich alle bei Ina treffen und ein großes Fest feiern. Dabei wollen sie auch wieder Luftballons fliegen lassen. Jeder einen. Im nächsten Sommer vielleicht. Oder im übernächsten.

*(nach Gudrun Pausewang)*

*Drogi Dawidzie!*
*Wczoraj znaleźliśmy balon z kartką od Ciebie. Wyobraź sobie, że Twój balon wylądował na dachu naszej szkoły! Nasz nauczyciel go tam znalazł.*
*Bardzo się zdziwiliśmy i ucieszyliśmy.*
*Teraz wszyscy razem piszemy do Ciebie. My, to znaczy cała klasa 5a.*

a) Ordne die Bilder den Textabschnitten zu. Lösung:   ?  ?  ?  ?  ?  ?  ?  ?
                                                       1  2  3  4  5  6  7  8

b) Lies die Sätze. Was ist richtig? Was ist falsch?   R   F

1 Ina feiert ihren Geburtstag an einem See.   ?   ?
2 Sie hat vier Kinder eingeladen.   ?   ?
3 Sie lassen vier Ballons fliegen.   ?   ?
4 Ein Luftballon fliegt ins Ausland.   ?   ?
5 Ina bekommt erst im Herbst eine Antwort.   ?   ?
6 Alle Kinder wollen sich im Januar treffen.   ?   ?

c) Was steht auf der Antwortkarte von Abschnitt zwei und drei? Schreib auf.

d) Wollt ihr auch mal eine „Luftpost" verschicken? Lasst doch an einem Schulfest Ballons mit einer Grußkarte fliegen. Viel Spaß!

### jemanden kennenlernen

Wie heißt du? Woher kommst du? Wann bist du angekommen? Wie lange bleibst du? Welche Hobbys hast du? Was machst du in der Freizeit? Wer spielt mit mir? Machst/ Spielst du gern …?

### eine Person beschreiben

groß – klein,
schlank – dick,
stark – schwach,
sportlich – unsportlich,
sympathisch – unsympathisch,
hübsch, blond

### Vorlieben ausdrücken

Wem gefällt die Küche? – Wie gefällt dir die Schule? – Was schmeckt dir? – Wie schmeckt dir Pizza? Mir gefällt die Schule gut. – Mir schmeckt Fisch. – Pizza schmeckt mir gut, aber Fisch schmeckt mir besser. – Paella schmeckt mir am besten.

### gute Wünsche

Frohe Weihnachten! – Frohe Ostern! – Ein gutes neues Jahr! – Herzlichen Glückwunsch zum Geburtstag! – Guten Appetit! – Gute Besserung! – Viel Glück! – Viel Spaß!

### rund ums Wohnen

Unser Haus ist klein/groß/alt/gemütlich. Im Wohnzimmer/ Schlafzimmer / In der Küche ist/steht ein Tisch/Bett/... Da essen/schlafen/kochen wir.
Balkon, Kühlschrank, Wohnzimmer, Schlafzimmer, Bad, Sofa, Wohnung, Küche, Spülmaschine, Lampe, Toilette

1. Ich komme **aus** Österreich/Deutschland/Italien/Spanien.
**aus der** Schweiz/Türkei/Slowakei.

2. Ich bin **vor** einer Woche | angekommen.
**vor** zwei Tagen

Ich bleibe **bis** morgen.
**bis** Sonntag.

3. **Wem** schmeckt Pizza? – Mir.
Mit **wem** spielst du? – Mit meinem Bruder.

Was sagt man **vor** dem Essen?
**vor** einer Party?
**vor** den Ferien?
**nach** der Schule?
**zu** Ostern/ Weihnachten?
**am** Freitag?
**am** 31. Dezember?

4. Das ist Takis.
Sein Lieblingssport ist Turnen.
Sein Lieblingsfach ist Sport.
Seine Adresse ist Goetheplatz 10.
Seine Hobbys sind Computerspiele und Inlineskaten.

Das ist Anna.
Ihr Lieblingssport ist Schwimmen.
Ihr Lieblingsfach ist Mathe.
Ihre Adresse ist Via stazione.
Ihre Hobbys sind Lesen und Musik hören.

5. Das ist unsere Wohnung:
unser | unser | unsere
Balkon | Wohnzimmer | Küche

Und das ist eure Wohnung:
euer | euer | eure
Balkon | Wohnzimmer | Küche

Wie findet ihr unsere Wohnung?
unseren | unser | unsere
Balkon | Wohnzimmer | Küche

Wir finden eure Wohnung toll.
euren | euer | eure
Balkon | Wohnzimmer | Küche

# *Theater*
## Reise nach Planetanien

### A Im Weltraum

**1 Spiel: Wortkette**

Was gibt es im Weltraum? Schreibt in Gruppen Wortketten auf. Der letzte Buchstabe des letzten Wortes ist der erste Buchstabe des nächsten Wortes.

Raumschif**f**  → **F**ernsehe**r** → **R**aket**e**  → **E**rd**e**  → **E**isenbah**n** →

**N**ikolau**s** → **S**onn**e**  → **E**is → …

Natürlich darf es auch Quatsch sein! Welche Gruppe schreibt in vier Minuten die längste Kette?

**2 So oder so?**

3/38 a) Hör zu und zeig auf die Wörter.

 klein – groß    schnell – langsam

lang – kurz    hell – dunkel

 hoch – niedrig    laut – leise

rund – eckig

3/39 b) Hör zu und ergänze das Gegenteil.

**3 Im Weltraum ist was los!**

a) Schau das Bild an. Was gibt es im Weltraum?

3/40 b) Hör zu und antworte laut.

c) Stell deinem Partner Fragen: Was ist rund/schnell/…? oder Wie ist die Sonne / der Würfel / …?

### 1 Lesen: Bitte, wie kommt man nach Planetanien?

1 Am Nachmittag kommt Steffi zu Carlo. „Hallo, Steffi. Komm rein."
„Hallo, Carlo. Du, sag mal, was ist eigentlich mit dem Raumschiff?"
„Das Raumschiff? Das ist fertig. Komm mit." Carlo und Steffi gehen
in den Garten.
Da steht es! Es ist nicht sehr groß, rund und glänzt wie Silber.
Steffi stottert: „A-a-a-ber, das ist ja super! Fliegt es auch?"
„Wie bitte?", fragt Carlo.
„Na ja", meint Steffi, „kann man damit fliegen? Ist das möglich?"
„Natürlich ist das möglich", antwortet Carlo. „Was denkst du denn!"
„Und was machst du jetzt damit?", fragt Steffi.
„Na ja", sagt Carlo. „Wir können doch eine Reise in den Weltraum machen. Hast du Lust?"
„Ich? Lust? Natürlich!", jubelt Steffi.
„Und ich weiß auch schon wohin", sagt Carlo. „Wir besuchen Planetino."
„Das ist eine tolle Idee. Aber weißt du auch den Weg nach Planetanien?", fragt Steffi.
„Na klar", antwortet Carlo. „Ich war doch schon mal da. Wir fliegen am Samstag."

2 Carlo und Steffi sind auf einem Planeten gelandet. Da ist eine Stadt. Sie gehen los. „Komisch",
sagt Carlo, „die Häuser sehen ganz anders aus als in Planetanien."
„Vielleicht sind wir gar nicht in Planetanien!", meint Steffi.
„Quatsch!", sagt Carlo. „Ich kenne doch den Weg."
„Du, da kommt jemand", flüstert Steffi.
„Wie sehen die denn aus?", flüstert jetzt auch Carlo. „Die sind ja ganz eckig!" Die Planeten-
bewohner kommen näher. „Die sehen aber gar nicht freundlich aus", sagt Carlo leise. „Was
machen wir denn jetzt?"
„Wir sagen Guten Tag", antwortet Steffi ebenso leise, und laut sagt sie: „Guten Tag. Ich bin Steffi.
Und das ist Carlo. Wir kommen von der Erde."
„Was macht ihr hier?", fragt einer der Planetenbewohner sehr unfreundlich.
Carlo stottert: „Wir, na ja, wir suchen Planetino. Ist das hier Planetanien?"
„Planetanien? So ein Quatsch!", sagt der Planetenbewohner. „Das ist der Planet Orbinus. Und wir
wollen hier keine Fremden haben."
„Oh, Entschuldigung", sagt Steffi. „Wir sind auch gleich wieder weg." Die Orbianer kommen
immer näher.
„Schnell, Steffi", ruft Carlo, „lauf!" Carlo und Steffi laufen los und die Orbianer hinterher. Im
letzten Moment steigen die beiden in ihr Raumschiff. Gerettet!

3 Nach vier Stunden Flug sind Carlo und Steffi auf einem anderen Planeten angekommen. „Ist das
jetzt Planetanien?", fragt Steffi.
„Ich weiß nicht. Ich glaube schon", antwortet Carlo ein bisschen unsicher. „Komm, wir gehen mal los."
Auf einmal stehen da drei Planetenbewohner. Sie lachen. „Sieh mal, das sind aber keine Planetanier",
sagt Carlo leise, „die sind ja ganz rund."
Und Steffi flüstert: „Na ja, auf jeden Fall sind sie freundlicher als die anderen."
Die Planetenbewohner zeigen auf Steffi und Carlo und lachen immer lauter.
„Wie seht ihr denn aus?", ruft einer.
Und der andere: „So was habe ich ja noch nie gesehen!", und hält sich den Bauch vor Lachen.
Der Dritte lacht am lautesten und schreit: „Woher kommt ihr denn!"

Carlo ist ein bisschen sauer: „Wir kommen von der Erde. Warum?"

„Weil ihr so komisch ausseht", sagt der Erste. „Eure Beine sind so lang."

„Na und?", antwortet Carlo. „Unsere Beine sind eben lang. Und eure Beine sind kurz."

„Das ist doch egal", sagt Steffi. „Wir sehen eben nicht alle gleich aus. Das macht doch nichts."

Die drei Planetenbewohner lachen nicht mehr. Der Zweite sagt: „Du hast ja recht. Wir haben gelacht. Das war nicht nett. Entschuldigung."

„Schon gut", antwortet Carlo. Er ist nicht mehr sauer. „Aber sagt mal, wo sind wir hier eigentlich?"

„Auf dem Planeten Ballonus", sagen alle drei gleichzeitig.

„Au weia", stöhnt Steffi, „schon wieder falsch."

„Warum?", fragt der erste Ballonier. „Wohin wollt ihr denn?"

„Nach Planetanien", antwortet Carlo.

„O je, das ist aber noch ziemlich weit", sagt der Dritte.

„Na ja, also los!", sagt Carlo. Die beiden gehen zum Raumschiff. Sie drehen sich noch einmal um und rufen: „Also tschüs!"

Und die Ballonus-Bewohner winken und rufen: „Tschüs! Und guten Flug!"

4   Carlo und Steffi sind viele Stunden geflogen. Dann sind sie wieder auf einem Planeten gelandet. Da gibt es Häuser. Manche Häuser sind ganz hoch und andere ganz niedrig.

„Sind wir jetzt endlich in Planetanien?", fragt Steffi.

„Ich glaube nicht", antwortet Carlo.

„Dann fliegen wir am besten gleich weiter", meint Steffi. „Vielleicht sind die Leute hier auch so komisch."

„Zu spät", sagt Carlo. Da kommen nämlich schon zwei Planetenbewohner. Einer ist ganz groß und der andere sehr klein. Sie kommen langsam näher.

„Hallo!", sagt der Große freundlich. „Wer seid ihr denn?"

„Ich bin Steffi. Und das ist Carlo", antwortet Steffi

„Wir kommen von der Erde!", sagt Carlo.

„Oh, von der Erde. Das ist ja interessant", sagt der Große. „Ach übrigens, ich heiße Ypsilon. Und das ist mein Freund Omega."

„Wo sind wir hier eigentlich?", fragt Steffi.

„Auf dem Planeten Gamma", antwortet Omega.

„Aha", sagt Steffi, „aber sagt mal, warum sind eure Häuser so komisch, manche hoch und manche niedrig?"

„Weil wir so komisch sind, manche groß und manche klein", lacht Ypsilon. „Das siehst du doch!"

„Ach, jetzt verstehe ich", meint Steffi.

„Aber jetzt erzählt ihr mal. Wir haben nämlich noch nie Besuch von der Erde gehabt", sagt Ypsilon.

„Was kann man da erzählen?", überlegt Carlo.

„Na, zum Beispiel, wie eure Häuser aussehen", sagt Omega.

„O je, das ist schwer", antwortet Carlo, „wir haben Hochhäuser, normale Häuser, Hütten, Fales ... Das ist in jedem Land anders."

„In jedem Land?", fragt Ypsilon. „Was heißt das? Die Erde ist doch ein Planet."

„Ja klar", erklärt Steffi, „aber wir haben Kontinente und Länder."

„Das ist ja interessant", sagt Ypsilon. Und Omega fragt: „Sehen dann alle Menschen gleich aus?"

„Na ja", antwortet Carlo, „eigentlich schon. Nur die Hautfarbe ist anders. Manche sind dunkel, und manche sind hell wie wir."

„Das ist ja interessant", sagt Ypsilon, „da möchte ich noch mehr wissen."

„Tja, wir haben aber leider keine Zeit. Wir müssen doch nach Planetanien", erklärt Steffi.

„Schade", sagt Ypsilon traurig.

Da hat Carlo eine Idee: „Wisst ihr was? Wir fliegen jetzt nach Planetanien, und auf dem Rückweg kommen wir wieder hier vorbei."

„Prima! Ich freue mich schon", sagt Ypsilon.

„Und ich auch", sagt Omega. „Also bis dann!"

5 **U**nd wieder sind Steffi und Carlo auf einem Planeten gelandet.

„Das ist Planetanien!", ruft Carlo.

„Und da kommt auch schon Planetino! Hallo, Planetino!", schreit Steffi.

„Steffi, Carlo! Mensch, das ist ja eine Überraschung!", sagt Planetino, und seine Antennen wackeln fröhlich.

a) Lies den Text in Abschnitten.

b) Erfinde Überschriften für die Abschnitte.

Beispiel: Abschnitt 1 „Zu Hause"

 ## 2 Lied

1   Wir steigen ein. Wir fliegen los.
Der Weltraum ist so riesengroß.
Doch mit dem Raumschiff geht's ganz leicht.
Bald haben wir unser Ziel erreicht.
Wir steigen ein. Wir fliegen los.
Der Weltraum ist so riesengroß.

2   Wir sind geflogen – mal hin und mal her.
Zum Ziel zu kommen war so schwer.
Jetzt sind wir da. Es war nicht leicht.
Doch wir haben unser Ziel erreicht.
Wir sind geflogen – mal hin und mal her.
Zum Ziel zu kommen war so schwer.

 ## C Die Szenen

a) Macht fünf Gruppen. Gruppe 1 liest den ersten Abschnitt „Zu Hause".

Gruppe 2 liest den zweiten Abschnitt usw.

Jeder Abschnitt ist eine Szene.

Nun schreibt jede Gruppe zu ihrer Szene ein Drehbuch:

Was sagen die Leute? Schreibt das auf und schreibt auch die Namen davor.

Szene 1

Carlo:   Hallo, Steffi. Komm rein.
Steffi:   Hallo, Carlo. Du sag mal …

…

Szene 2

Carlo:   Komisch, die Häuser sehen ganz anders aus als in Planetanien.
Steffi:   Vielleicht sind wir gar nicht in Planetanien!

…

 b) Hört den Drehbuchtext zur Kontrolle von der CD und singt das Lied.

## 1 Stabfiguren basteln

a) Planetino

Material: leichter Karton, 40–50 cm groß , zwei Stück roter Draht ,

Briefklammern , drei dünne, lange Stäbe

den Karton falten

Planetino aufzeichnen,
nur Kopf, Körper und
ein Bein

die Figur ausschneiden
und auffalten

die beiden Seiten gleich
anmalen

am Kopf zwei Antennen
aus rotem Draht aufkleben

auf die Innenseite einen
Stab kleben

die beiden Körperhälften
zusammenkleben

Karton falten und einen
Arm und ein Bein
ausschneiden

am Arm und am Bein
Stäbe festkleben

Arm und Bein zusammen-
kleben und beide Seiten
anmalen

in den Arm, in das Bein
und in den Körper Löcher
machen

den Arm und das Bein
mit Briefklammern am
Körper festmachen

b) **Steffi**

Wie bei Planetino die Figur von der Seite auf einen
gefalteten Karton aufzeichnen, ausschneiden
und beide Seiten gleich ausmalen.
Die beiden Teile zusammenkleben und einen
Stab dazwischenkleben.
Einen Arm und ein Bein doppelt ausschneiden,
und ausmalen. Stäbe dazwischenkleben.
Mit Briefklammern festmachen.
Die beiden Seiten müssen gleich aussehen,
sodass man die Figur wenden kann.

c) **Carlo**

Ebenso herstellen

d) **Die anderen Planetenbewohner**

Die anderen Planetenbewohner könnt ihr euch selbst ausdenken. Lest noch einmal in der
Geschichte nach und überlegt, wie sie wohl aussehen. Wichtig ist, dass die Vorderseite und die
Rückseite immer gleich sind.
Ihr könnt auch mehrere gleiche Planetenbewohner herstellen: z.B. die Figuren mit dem Kopierer
„klonen" und dann verschieden ausmalen.

e) **Das Raumschiff**

Auf einen gefalteten Karton das Raumschiff aufzeichnen, ausschneiden und ausmalen; zwischen
die beiden Teile einen Stab festkleben; die beiden Teile zusammenkleben.

## 2 Stabfiguren führen

1 Halte in der einen Hand den festen Stab des Körpers und in der anderen die zwei
beweglichen Stäbe.

2 Wenn die Figur geht, musst du die beweglichen Stäbe rauf- und runterschieben. Wenn die Figur
steht und spricht, musst du den Stab an der Hand bewegen.

3 Wenn die Figur in eine andere Richtung geht, musst du nur die Figur wenden und die Stäbe in die
andere Hand wechseln.

## 3 Die Kulissen

Material: lange Kartonstreifen, Kartonstücke

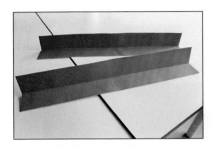  

zwei 20 cm breite Karton-
streifen (so lang wie die
Mitteltafel) in der Mitte falten

Kulissen aus Karton aus-
schneiden (50 cm hoch),
Beispiel Garten

die ausgeschnittenen Teile
zwischen die Kartonstreifen
stecken, Kartons zusammenkleben

Für jede Szene braucht ihr andere Kulissen. Überlegt gemeinsam,
wie die Kulissen aussehen sollen.

## 4 Die Bühne

die Klapptafel nach unten schieben und
halb öffnen

über die geöffnete Tafel ein Tuch hängen
und festmachen

Man kann auch einen kleinen Schrank oder ein Regal als Hintergrund nehmen und ein Tuch in
einem Abstand von ca. 1 m spannen. Die Kulissen dann entsprechend anpassen.

## 5 Stabfigurentheater spielen

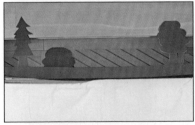  

Die Kulissen auf die Mitteltafel
stellen (wenn nötig, den
Abstand zur Wand ausfüllen)

Die Spieler stehen hinter dem
Tuch zwischen den beiden
Tafelflügeln.

Die Figuren über das Tuch
halten

3/43

Die erste Szene spielen, dann Liedstrophe 1 singen, dabei Kulissen auswechseln.
Die nächste Szene spielen, dann Liedstrophe 1 singen usw.
Am Schluss Liedstrophe 2 singen.
Ein Tipp: Für jede Figur einen Spieler und einen Sprecher wählen!
Der Sprecher steht neben der Bühne. So kann man die Stimmen besser hören.

## E Projekt „Weltraum"

Die „Reise nach Planetanien" ist nur eine Geschichte. Interessiert euch, was im Weltraum wirklich los ist?

a) Sammelt Material über den Weltraum.
Ihr könnt Bilder und Artikel aus Zeitschriften ausschneiden.
Ihr könnt Informationen im Internet suchen.
Hier sind einige Stichpunkte:

★ Galaxien
★ Planeten in unserem Sonnensystem
★ Sonnen, Sterne, Planeten, Kometen, Meteore
★ Gibt es Leben im Weltraum?
★ Ufos

b) Macht ein Poster „Im Weltraum".
Klebt die Bilder und Texte auf einen großen Karton.
Die Texte können natürlich in eurer Sprache sein, aber vielleicht möchtet ihr auch deutsche Texte verwenden.

c) Vielleicht interessiert ihr euch für Science-Fiction?
Ihr könnt auch dazu ein Poster machen.

# Feste im Jahr

## Jahreszeiten

### 1 Wir backen Weihnachtsplätzchen

In der Adventszeit backen viele Mütter Weihnachtsplätzchen.
Und die Kinder helfen gern mit.

**Hier ist das Rezept für Butterplätzchen.**

Ihr braucht für den **Teig:** 375 g Butter , 200 g Zucker , 5 Eigelb ,

500 g Mehl  .

Und für die **Dekoration:** 1 Eigelb, bunte Streusel  oder Schokoladenstreusel  ,

gehackte Nüsse  oder Mandeln  .

Butter schaumig rühren.  Den Zucker und das Eigelb zur Butter geben und weiterrühren.

Langsam das Mehl dazugeben. 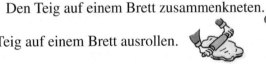 Den Teig auf einem Brett zusammenkneten.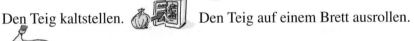

Den Teig kaltstellen.  Den Teig auf einem Brett ausrollen.

 Figuren ausstechen.

 Teigfiguren auf das Blech legen. Teigfiguren mit Eigelb bestreichen.

Mit Streuseln oder gehackten Nüssen oder Mandeln dekorieren.

Bei 180 Grad backen.

### 2 Lied: O du fröhliche

3/54
3/55

1  O du fröhliche, o du selige,
   gnadenbringende Weihnachtszeit!
   Welt ging verloren, Christ wird geboren:
   Freue, freue dich, o Christenheit.

2  O du fröhliche, o du selige,
   gnadenbringende Weihnachtszeit!
   Christ ist erschienen, uns zu versöhnen:
   Freue, freue dich, o Christenheit!

3  O du fröhliche, o du selige,
   gnadenbringende Weihnachtszeit!
   Himmlische Heere jauchzen Gott Ehre:
   Freue, freue dich, o Christenheit!

## 3 Weihnachten bei uns

*Heiligabend, 24. Dezember*

Am Nachmittag schmückt die Familie den Christbaum.
Manchmal machen das die Eltern allein.
In vielen Familien dürfen die Kinder den Baum vorher nicht sehen.
Am Abend brennen die Kerzen am Christbaum.
Alle singen Weihnachtslieder. Dann machen die Kinder ihre
Geschenke auf.

Später feiert die Familie zusammen. Man isst
Plätzchen und trinkt etwas. Viele Familien gehen noch spät am
Abend in die Kirche.

*Erster Weihnachtsfeiertag, 25. Dezember*

Am Mittag essen die meisten Familien eine Gans oder eine Ente. Am
Nachmittag besuchen sie dann Opa und Oma oder Tante und Onkel.

## 4 Lied: Stille Nacht

3/56
3/57

1   Stille Nacht, heilige Nacht.
    Alles schläft. Einsam wacht
    nur das traute hochheilige Paar.
    Holder Knabe im lockigen Haar,
    schlaf in himmlischer Ruh',
    schlaf in himmlischer Ruh'.

2   Stille Nacht, heilige Nacht.
    Gottes Sohn, o wie lacht
    Lieb' aus deinem göttlichen Mund,
    da uns schlägt die rettende Stund',
    Christ in deiner Geburt,
    Christ in deiner Geburt.

3   Stille Nacht, heilige Nacht.
    Hirten erst kundgemacht;
    durch der Engel Halleluja
    tönt es laut von fern und nah:
    Christ, der Retter ist da,
    Christ, der Retter ist da!

# Karneval – Fasching – Fasnacht

## 1 Karneval in Köln

In vielen deutschen Städten gibt es am letzten Montag im Karneval, am Rosenmontag, einen Karnevalszug. Besonders bekannt ist der Rosenmontagszug in Köln. Aber in Köln gibt es einen Tag vorher, am Karnevalssonntag, noch etwas anderes: Da ist nämlich der Karnevalszug der Schulen und Stadtviertel. Er heißt im Kölner Dialekt „Schull- und Veedelszöch". Kinder, Eltern und Lehrer haben viele Wochen daran gearbeitet. Sie haben Wagen gebaut und Masken und Kostüme gebastelt. Und am Karnevalssonntag ziehen sie durch die Straßen von Köln. Viele Leute schauen zu, und auch das Fernsehen ist da. Dieser Karnevalszug ist oft sogar länger als der berühmte Rosenmontagszug am nächsten Tag.

## 2 Basler Fasnacht

„Die drey scheenschte Dääg" (die drei schönsten Tage) sagen die Basler zu ihrer Fasnacht.
Sie ist die größte der Schweiz und sehr berühmt. Schon vor mehr als 600 Jahren haben die Leute in Basel Fasnacht gefeiert!
Die Basler Fasnacht beginnt später als der Kölner Karneval und dauert nur drei Tage. Sie beginnt am Montagmorgen um vier Uhr. Da gehen alle Lichter in der Stadt aus, und Laternen-Umzüge erleuchten die Straßen. In den drei Tagen gibt es viele Umzüge. Die Leute tragen Kostüme und Masken und machen Musik. Am Dienstag ist Kinder- und Familienfasnacht. Die Basler Fasnacht hört am Donnerstagmorgen um vier Uhr auf, nach genau 72 Stunden.

> **Stell dir vor!**
> Im Südwesten von Deutschland gibt es einen Fasnachts-Brauch, der heißt „Lehrerwecken": Die ganze Klasse trifft sich morgens sehr früh in Kostümen vor der Wohnung des Klassenlehrers und weckt ihn auf. Der Lehrer macht dann Frühstück für seine Klasse.

## 1 Wir basteln Eierköpfe

Material: ein ausgeblasenes Ei  , Wolle  , Stoffreste

und buntes Papier

Beispiel: Feine Dame

auf das Ei ein
Gesicht malen

aus Wolle Haare
aufkleben

aus Stoff einen Hut
ausschneiden und
aufkleben

einen Ring aus Papier
als Hals ankleben

So kann ein Clown oder ein alter Mann aussehen:

Oder möchtest du deinen Vater, deine Mutter, deinen Lehrer oder einen Freund porträtieren?
Versuch's doch mal!

## 2 Ostern bei uns

Am Ostersonntagmorgen suchen die Kinder die Ostereier.

Besonders wichtig ist das Frühstück. Der Tisch ist schön geschmückt. Es gibt Osterbrot, Schinken und natürlich Ostereier.

Viele Familien spielen am Frühstückstisch ein lustiges Spiel, das Eierpecken. Und das geht so: Du nimmst ein Osterei fest in die Hand und dein Mitspieler auch. Nun schlagt ihr die Eier mit den Spitzen aufeinander. Ist dein Ei noch ganz? Dann hast du gewonnen und bekommst auch das andere Ei.

# Wortliste

Die chronologische Wortliste enthält die Wörter des Kursbuches mit Angabe der Seiten, auf denen sie zum ersten Mal genannt werden. Nomen mit der Angabe (Sg.) verwendet man nur oder meistens im Singular. Nomen mit der Angabe (Pl.) verwendet man nur oder meistens im Plural. Passiver Wortschatz ist *kursiv* gedruckt.

## Themenkreis Freizeit

**Seite 5**

auf sein (= offen sein)
*doch*
Problem, das, -e
Kein Problem.
blöd

## Lektion 41:
### Das Preisausschreiben

**Seite 6**

*Preisausschreiben, das, -*
*Preis, der, -e*
*abbilden*
Wort, das, ⸚er
*angeben (= nennen)*
*Buchstabe, der, -n*
*Reihenfolge, die, -n*
*Lösungswort, das, ⸚er*
*zu tun haben*
schicken
Postkarte, die, -n
*Postfach, das, ⸚er*
*Heimspiel, das, -e*
*Lieblingsmannschaft, die, -en*
*Besuch, der, -e*
*Spielerkabine, die, -n*
*weitere*
*Autogramm, das, -e*
*Spielertrikot, das, -s*
*über*
*Bundesliga, die (Sg.)*
Wohin?
Spielplatz, der, ⸚e
Skatepark, der, -s

**Seite 7**

Schwimmbad, das, ⸚er
Turnhalle, die, -n
Kino, das, -s
Ballettschule, die, -n
Eiscafé, das, -s
Musikschule, die, -n
Tennisplatz, der, ⸚e

Stadion, das, Stadien
Reithalle, die, -n
Sportplatz, der, ⸚e
Popkonzert, das, -e

**Seite 8**

auf
Was gibt's?
*gewinnen*
*zum Training*

**Seite 9**

*Scheibenspiel, das, -e*
*schneiden*
*Scheibe, die, -n*
*Karton, der, -s*
*Linie, die, -n*
*aufeinanderlegen*
*Loch, das, ⸚er*
*Mitte, die, -n*
*durchstecken*
*Briefklammer, die, -n*
*drehen*

## Lektion 42:
### Fußball

**Seite 10**

glücklich
*letzter/es/e*
*Reporter, der, -*
beide
die beiden
Hotdog, der, -s
*Hurra!*
*unterschreiben*
Platz, der, ⸚e (= Sitzplatz)
genau
*zum Schluss*
*Interview, das, -s*
*Trikot, das, -s*
*Torwart, der, -e*
*Trainer, der, -*

**Seite 11**

passieren
abholen

bezahlen
*nachher*

## Lektion 43:
### Meine Hobbys

**Seite 12**

Anzeige, die, -n
Eis, das (Sg.)
    (hier: gefrorenes Wasser)
Eishockey, das (Sg.)
*Eiszeit, die, -en*
*ob*
Anmeldung, die, -en
*Jugendleitung, die (Sg.)*
*Eissportverein, der, -e*
*Computerklub, der, -s*
Kurs, der, -e
*täglich*
*multimedial*
*Welt, die (Sg.)*
Internet, das (Sg.)
*Spielprogramm, das, -e*
*Lernprogramm, das, -e*
*testen*
*Webseite, die, -n*
*gestalten*
*erproben*
Klavier, das, -e
Klavierunterricht, der (Sg.)
*kostenlos*
*Probestunde, die, -n*
*Schachakademie, die, -n*
Schach, das (Sg.)
*schlau*
*Ferien, die (Pl.)*
*Info, die, -s*
Radio, das, -s
sammeln
deutsch
*Briefmarke, die, -n*
*tauschen*
*Kultursommer, der (Sg.)*
*Angebot, das, -e*
*Jugendliche, der/die, -n*
*Umgebung, die (Sg.)*

Wiese, die, -n
Zirkuszeltstadt, die, ̈e
Kultur, die (Sg.)
zuschauen
zahlreich
Auftritt, der, -e
Workshop, der, -s
Musical, das, -s
Graffiti, das, -s
Batik, die, -en
Papierwerkstatt, die, ̈en
Holzschnitzwerkstatt, die, ̈en
Steinbildhauerei, die (Sg.)
vieles mehr

**Seite 13**
probieren
alles Mögliche
und so weiter (usw.)
vielleicht
Kinderprogramm, das, -e
fotografieren
im Internet surfen
Österreich, - (Sg.)
Schweiz, die (Sg.)
Schlagzeug, das, -e
laut
unbedingt
niemand
man
offen
Sendung, die, -en

**Seite 14**
Familienname, der, -n
Vorname, der, -n
Hausnummer, die, -n
Telefonnummer, die, -n

**Seite 15**
Rätsel-Fan, der, -s
Rätsel, das, -
Lieblingshobby, das, -s
Zeitung, die, -en
Quiz, das (Sg.)
erfinden
selbst
informieren
Thema, das, Themen
dazu
sondern
Fantasie, die (Sg.)
Information, die, -en
Nachricht, die, -en
Musikinstrument, das, -e

Taste, die, -n
vor allem
Winter, der, -
meistens
Halle, die, -n
Papier, das (Sg.)
Jahreszeit, die, -en
Frühling, der, -e
Sommer, der, -
Herbst, der, -e

## Lektion 44:
## Brieffreund gesucht!

**Seite 16**
Brieffreund, der, -e
Hi!
treffen
Freunde treffen
wenn
Brieffreundin, die, -nen
zurückschreiben
100%-ig
Hallo zusammen!
oft
genannt sein

**Seite 18**
Partnerklasse, die, -n
euer/eure
wollen
sich freuen
Geheimschrift, die, -en
unser/unsere
fast
Fußballmannschaft, die, -en
in etwas sehr gut sein

## Themenkreis Ferien

**Seite 21**
Ferien, die (Pl.)
bringen
Bahnhof, der, ̈e
einsteigen

## Lektion 45:
## Endlich Ferien!

**Seite 22**
endlich
an
See, der, -n
ans
Meer, das, -e

Insel, die, -n
Berg, der, -e
Fluss, der, ̈e
aufs
Land, das (Sg.) (= Landschaft)
zu (Präposition)

**Seite 23**
Reiterferien, die (Pl.)
Bauernhof, der, ̈e
Erlebnisferien, die (Pl.)
Kicker, der, -
geeignet
Camp, das, -s
Sprachkurs, der, -e
7-Jährige, der/das/die, -n
Ferienort, der, -e
vormittags
nachmittags
Camping, das (Sg.)
Europa, - (Sg.)
schattig
Pinienwald, der, ̈er
Meter, der, -
Strand, der, ̈e
Pizzeria, die, -s
Kiosk, der, -e
Kinderspielplatz, der, ̈e
Surfschule, die, -n
Wasserschi (als Sportart)
Weltraum, der (Sg.)
Sonderangebot, das, -e
eigentlich
Zug, der, ̈e
Kilometer, der, -
Person, die, -en
zu (teuer)
Gepäck, das (Sg.)

**Seite 24**
dreitausend
durch
reisen
Süden, der (Sg.)
Norden, der (Sg.)
echt
Abenteuer, das, -
ungewöhnlich
Fortbewegungsmittel, das, -
nutzen
Deutsche, der/die, -n
zurücklegen
knapp
ziehen (etwas)
sein/e

tragen
*sich legen*
*Straßenrand, der, ⸚er*
Ende, das, -n
am Ende
*Strecke, die, -n*

## Lektion 46:
### Wir fahren weg

**Seite** 25
*wegfahren*
einpacken
Pullover, der, -
Bikini, der, -s
Italien, - (Sg.)
deshalb
regnen
Es regnet.
*Island, - (Sg.)*
kalt
*Regenmantel, der, ⸚*

**Seite** 26
wollen
Teddy, der, -s
ohne
*Pferdchen, das, -*

**Seite** 27
Flughafen, der, ⸚
abfahren
ankommen
Fahrplan, der, ⸚e
*kaufen*
Fahrkarte, die, -en
Automat, der, -en
Bahnsteig, der, -e
Gleis, das, -e
Witz, der, -e
*Bahnbeamte, der/die, -n*

## Lektion 47:
### Ferien am Meer

**Seite** 28
*Campingplatz, der, ⸚e*
*Waschplatz, der, ⸚e*
*Tischtennisplatte, die, -n*
*Dusche, die, -n*
Toilette, die, -n
Mann, der, ⸚er
*rumlaufen*
*sogar*
leicht
Eingang, der, ⸚e

geradeaus
zur nächsten Straße
links
rechts

**Seite** 29
*Schatzsuche, die, -n*
*vorbereiten*
Viel Spaß!
*Hinweis, der, -e*
*Schritt, der, -e*
*stehen (= sich befinden)*
Osten, der (Sg.)
finden (suchen und finden)
Norden, der (Sg.)
Süden, der (Sg.)
über
Wald, der, ⸚er
*Liegestuhl, der, ⸚e*
Westen, der (Sg.)
*Schatz, der, ⸚e*
(ein)hundert
zweihundert
dreihundert
vierhundert
fünfhundert
sechshundert
siebenhundert
achthundert
neunhundert
(ein)tausend
*vorn*
*hinten*

**Seite** 30
Engländerin, die, -nen
England, - (Sg.)
verstehen
Entschuldigung, die, -en
Italienerin, die, -nen
Italiener, der, -
Engländer, der, -
auf Deutsch
wiederholen

## Lektion 48:
### Familie Klein macht Ferien

**Seite** 31
Zimmer, das, -
Wohnung, die, -en
*Burg, die, -en*
wandern
*Picknick, das, -s*
hübsch
*eigener/es/e*

Käsebrot, das, -e
Wurstbrot, das, -e
Ei, das, -er
Flasche, die, -n
Banane, die, -n
Brezel, die, -n
Birne, die, -n
Mineralwasser, das (Sg.)

**Seite** 32
Suppe, die, -n
*Gespenst, das, -er*
gestern
recht haben
schlimm

**Seite** 33
*romantisch*
*gelegen sein (= sich befinden)*
*Märchenschloss, das, ⸚er*
*Besichtigung, die, -en*
*Zeitreise, die, -n*
*Jahrhundert, das, -e*
*Schatzkammer, die, -n*
*Öffnungszeit, die, -en*
geschlossen sein
*Geisterstunde, die, -n*
*schlagen (die Uhr schlägt)*
*Geist, der, -er*
*erwachen*
*Mitternacht, die (Sg.)*
*Wind, der, -e*
*heulen*
*plötzlich*
*zuschlagen*
*Eule, die, -n*
*rasseln*
*Kette, die, -n*
*klappern*
*knirschen*
*Gebein, das, -e*
*näher kommen*
*O weh!*
*O Graus!*
*Ritter, der, -*

### Themenkreis In der Stadt

**Seite** 35
Stadt, die, ⸚e
aussteigen

101

## Lektion 49:
### Weg aus Berlin

**Seite 36**

Angestellte, der/die, -n
Hausmann, der, ⸚er
Bus, der, -se
U-Bahn, die, -en
arbeitslos
Job, der, -s
Beruf, der, -e

**Seite 37**

*Erde, die (Sg.)*
*Schwanenburg, die (Sg.)*
*von Weitem*
*Stadtzentrum, das (Sg.)*
*Radfahren, das (Sg.)*
*Paradies, das, -e*
*Radfahrer, der, -*
*Radweg, der, -e*
*herrlich*
*Landschaft, die, -en*
*Rhein, der (Sg.)*
*Ente, die, -n*
*Schwan, der, ⸚e*
*sich ausruhen*
*Cola, das/die, -s*
*Popcorn, das (Sg.)*
*Film, der, -e*
*Tipp, der, -s*
*Geldbeutel, der, -*
*Rabatt, der, -e*
*Rabatt-Tag, der, -e*
*Eintritt, der (Sg.)*
*Tiergarten, der, ⸚*
*Vierbeiner, der, -*
*bestaunen*
*streicheln*
*Wassersport, der (Sg.)*
*paddeln*
*rudern*
*Tretboot, das, -e*
*gefällig sein*
*nass*

## Lektion 50:
### Einkaufen

**Seite 38**

erklären
*vorher*
*Ahnung, die, -en*
*keine Ahnung haben*
mitgehen

kaufen
Geschäft, das, -e
Gemüsegeschäft, das, -e
Traube, die, -n
Gramm, das (Sg.)
Gemüse, das (Sg.)
Metzgerei, die, -en
Bäckerei, die, -en
Quark, der (Sg.)
Butter, die (Sg.)

**Seite 39**

Fisch, der, -e
Joghurt, der/das, -s
Traubensaft, der (Sg.)
Zucker, der (Sg.)
Müsli, das, -s
Ketchup, der/das, -s
Markt, der, ⸚e
*Wochenmarkt, der, ⸚e*
Kilo, das (Sg.)
Stück, das, -e
Was darf's denn sein?
Liter, der, -
Das macht … Euro.

**Seite 40**

*fit*
*DIN A5 (= Papierformat)*
*liniert*
*kariert*
*verschieden*
*Motiv, das, -e*
*Jugendzentrum, das, -zentren*
*Idared (= Apfelsorte)*
*kernlos*
*Williamsbirne, die, -n*
   *(= Birnensorte)*
*Kinderfahrrad, das, ⸚er*
*Pausenverkauf, der (Sg.)*

## Lektion 51:
### Die Stadt

**Seite 41**

*Stadtplan, der, ⸚e*
Marktplatz, der, ⸚e
Park, der, -s
Bibliothek, die, -en
Post, die (Sg.)
Kirche, die, -n
Haltestelle, die, -n

**Seite 42**

Paket, das, -e
*aufgeben*
zum
zur

**Seite 43**

*Rosinenbrötchen, das, -*
*Rückweg, der, -e*
*Bäcker, der, -*
Geld, das (Sg.)
*fortgehen*
*zusehen*
*Tüte, die, -n*
*voll*
*kaum*
*rufen*
*kleben*
kochen
*Bauchweh, das (Sg.)*

## Lektion 52:
### Spielen und Raten

**Seite 45**

*Liechtenstein, - (Sg.)*
*Afrika, - (Sg.)*
*Amerika, - (Sg.)*
Slowakei, die (Sg.)
   (= Slowakische Republik, die)
*Griechenland, - (Sg.)*
*Polen, - (Sg.)*
*Frankreich, - (Sg.)*
Hauptstadt, die, ⸚e
*circa (ca.)*
Million, die, -en
*Bundesland, das, ⸚er*
*Kanton, der, -e*
*Département, das, -s*
Land, das, ⸚er (= Staat)
*Genfersee, der (Sg.)*
*Bodensee, der (Sg.)*
*Neusiedlersee, der (Sg.)*
*Alpen, die (Pl.)*
Tschechien, - (Sg.)
   (= Tschechische Republik, die)
*Dollar, der, -s*
*Franken, der, -*
*regieren*
*Fürst, der, -en*
*Brandenburger Tor, das (Sg.)*
Spanien, - (Sg.)
Türkei, die (Sg.)

# Haltestelle D-A-CH-L

**Seite 47**

Helikopter, der, -
Rettungs-Helikopter, der, -
Hafen, der, ⸚
Felsen, der, -
Loreleyfelsen, der (Sg.)
Rathaus, das, ⸚er
Stift, das, -e (= Kloster)
ÖBB-Bahnhof, der, ⸚e (ÖBB =
    Österreichische Bundesbahnen)
Pilatusbahn, die (Sg.)
steil
Zahnradbahn, die, -en
Nationalpark, der, -s
Straßenbahn, die, -en
Grüß Gott (süddt. / österr. Gruß)
Grüezi (schweiz. Gruß)
Servus (süddt. / österr. Gruß)
Moin (norddt. Gruß)
Baba (österr. Gruß)
Salü/Sali (schweiz. Gruß)
Hoi (schweiz. Gruß)
Grüessech (schweiz. Gruß)
Uf Widrluege (schweiz. Gruß)
Ade (schweiz. / süddt. Gruß)
Tschau (süddt. / österr. Gruß)

**Seite 48**

Mensch, der, -en
aufteilen
Einwohner, der, -
Brücke, die, -n
Kanal, der, ⸚e
Spree, die (Sg.)
Havel, die (Sg.)
Stadtteil, der, -e
erreichen
Wannsee, der (Sg.)
Sandstrand, der, ⸚e
sowie
Donau, die (Sg.)
Wahrzeichen, das, -
Riesenrad, das, ⸚er
Prater, der (Sg.)
Vergnügungspark, der, -s
statt
Fiaker, der, -
Pferdewagen, der, -
Französisch (als Sprache)
Italienisch (als Sprache)
Rätoromanisch (als Sprache)
Fürstentum, das, ⸚er
ähnlich

etwas Ähnliches
viertgrößte (der/das/die)
Altstadt, die, ⸚e
Bärenpark, der, -s
Wappentier, das, -e

**Seite 50**

berühmt
Persönlichkeit, die, -en
geboren sein
Schweizer, der, -
Schispringer, der, -
Goldmedaille, die, -n
Olympische Spiele (Pl.)
Sprung, der, ⸚e
Schiflug-Weltmeisterschaft, die, -en
Österreicher, der, -
in Wirklichkeit
deutschsprachig
Rapper, der, -
Song, der, -s
Charts, die (Pl.)
Autounfall, der, ⸚e
sterben
Autobauer, der, -
Benzinauto, das, -s
Rad, das, ⸚er
nennen
Nachfolger, der, -
Mercedes, der, -
Theaterstück, das, -e
dafür
einige
Fürstin, die, -nen
Kindheit, die (Sg.)
Kaiserin, die, -nen
Gesetz, das, -e
Komponist, der, -en
lieben
bestehen aus

**Seite 51**

Hilfsorganisation, die, -en
gründen
bzw. (= beziehungsweise)
Katastrophe, die, -n
Gründerin, die, -nen
weltbekannt
Spielwarenfabrik, die, -en
Stoff, der, -e
nähen
Stofftier, das, -e
beliebt sein
österreichisch
Maler, der, -

Fremdsprache, die, -n
überall
Plakat, das, -e

**Seite 52**

zur Schule gehen
Hallig, die, -en
grüßen
Rest, der, -e
cool
mitten in ...
unter Wasser stehen
Warft, die, -en
künstlich
aufschütten
zurzeit
Werkraum, der, ⸚e
Computerecke, die, -n
stattfinden
jeweils
sich melden
ziehen (nach ...)
seitdem
leiten
verbringen
Natur, die (Sg.)
schulfrei

**Seite 53**

Sportgymnasium, das, -gymnasien
entfernt liegen von
mehr als
zwischen
Unterstufe, die, -n
Schispringen, das (Sg.)
trainieren
Sportart, die, -en
Matura, die (Sg.)
gleich sein
Wettkampf, der, ⸚e
Trainingslager, das, -
Seilbahn, die, -en
Ort, der, -e
schmal
Weg, der, -e
verbunden sein
Allrad-Auto, das, -s
Fahrt, die, -en
zu Fuß
gefährlich
Schulweg, der, -e
hinunter
unmöglich
seit
ein paar

*hinunterfahren*
*dunkel*
*bedienen*
*sicher*

**Seite** 54

*Weggli, das, - (schweizerdt.)*
*Semmel, die, -n (bayr. / österr.)*
*Schrippe, die, -n (berlinerisch)*
*Erdapfel, der, ⸚ (süddt. / österr.)*
*Härdöpfel, der, - (schweizerdt.)*
*Schoggi, die (Sg.) (schweizerdt.)*
*Norddeutschland*
*Brause, die (Sg.) (norddt.)*
*Kracherl, das, - (österr.)*
*Kaiserschmarrn, der, -*
*Zutat, die, -en*
*Eigelb, das, -*
*Mehl, das (Sg.)*
*Salz, das (Sg.)*
*Eiweiß, das, -*
*Puderzucker, der (Sg.)*
*Rosine, die, -n*
*Zubereitung, die (Sg.)*
*Prise, die, -n*
*Teig, der, -e*
*rühren*
*steif*
*schlagen (= stark rühren)*
*Eiweißschnee, der (Sg.)*
*darunterziehen*
*Pfanne, die, -n*
*schmelzen*
*hineingießen*
*darüberstreuen*
*Schmarrn, der, -*
*goldbraun*
*backen*
*wenden*
*Gabel, die, -n*
*reißen*
*bestreuen*
*Kompott, das, -e*
*weglassen*

**Seite** 55

*Schoggi-Fondue, das, -s*
*ml (Milliliter, der, -)*
*Sahne, die (Sg.)*
*Obststückchen, das, -*
*Brotwürfel, der, -*
*Biskuit, der/das, -s*
*Topf, der, ⸚e*
*heiß*
*darin*

*glattrühren*
*Masse, die, -n*
*Fonduetopf, der, ⸚e*
*umfüllen*
*warmhalten*
*tauchen*
*umhüllen*
*servieren*
*umrühren*
*Nudelsalat, der, -e*
*Nudel, die, -n*
*etwas*
*Schinken, der, -*
*halb*
*typisch*
*Partysalat, der, -e*
*Salzwasser, das (Sg.)*
*Sieb, das, -e*
*schütten*
*darüber*
*schälen*
schneiden
*ebenfalls*
*mischen*

**Themenkreis Wir sprechen, hören, sehen fern**

**Seite** 57

*Fernsehprogramm, das, -e*

**Lektion 53:**
**Telefon, Handy usw.**

**Seite** 58

*Rauchzeichen, das, -*
*Prärieindianer, der, -*
*bekannt sein*
spanisch
*Kanareninsel, die, -n*
*weit entfernt*
*Pfeifsprache, die, -n*
*weitergeben*
*afrikanisch*
*Stamm, der, ⸚e*
*Trommelsprache, die, -n*
*Trommel, die, -n*
*abhängen von*
*Wetter, das (Sg.)*
*klar*
Regen, der (Sg.)
*Anrufbeantworter, der, -*
Wen?

**Seite** 59

*Training, das (Sg.)*
frei sein
besetzt sein
einverstanden sein
Einverstanden.
*selbst sehen (etwas)*
*Bechertelefon, das, -e*
*Joghurtbecher, der, -*
*Nadel, die, -n*
*Schnur, die, ⸚e*
*stechen*
*durchziehen*
*verknoten*
*stramm halten (etwas)*
wechseln

**Lektion 54:**
**Fernsehen und mehr**

**Seite** 60

Fernsehen, das (Sg.)
*Zeichentrickfilm, der, -e*
*Tierfilm, der, -e*
Krimi, der, -s
Quiz, das (Sg.)
*Abenteuerfilm, der, -e*
*Wissensmagazin, das, -e*
*heutige, der/das/die*
*gehen (um etwas)*
Frage, die, -n
halten
jemand
*Handtasche, die, -n*
*Hobbydetektiv, der, -e*
*Liebling, der, -e*
*sich beschäftigen mit …*
*Papageienart, die, -en*
*Folge, die, -n*
zurückkommen
*Bewohner, der, -*
allein
*schaffen*
*Weltmeisterschaft, die, -en*
*antreten*
*Star, der, -s*
*Top-Spieler, der, -*
herunterladen

**Seite** 61

*Schulfest, das, -e*
Bauchschmerzen, die (Pl.)
Computer, der, -
im Internet sein

ausmachen
*dauern*
Mensch, der, -en
Ach, Mensch!
Das ist mir egal.
*ab jetzt*
Minute, die, -n

*läuten*
*Türsummer, der, -*
*gehen (hier: funktionieren)*
*Hausarbeit, die, -en*
*vorbeikommen (an etwas)*
*Arbeitszimmer, das, -*
*weggehen*
*keine/r*
*merken (etwas)*
doch
etwas
*Chat, der, -s*
*Chatroom, der, -s*

**Seite 63**
*Nilpferd, das, -e*
*liegen*
*sich langweilen*
Fotoapparat, der, -e
*knipsen*
*untertauchen*
*auftauchen*
*weiter unten*
*dorthin*
*wedeln*
*rennen*
*sich setzen*
*Stein, der, -e*
*diesmal*
*weiter oben*
*losrennen*
*blinzeln*
*schwitzen*
*japsen*
*weitergehen*
*hin und her*
*zwanzigmal*
*vergnügt*

## Lektion 55:
Radio

**Seite 64**
*Hörspiel, das, -e*
*entdecken*
*aktiv*
*Sendersalat, der (Sg.)*

**Seite 65**
Ausflug, der, ⁻e
*Geräusche-Quiz, das (Sg.)*

## Lektion 56:
Schülerzeitung

**Seite 66**
*Schülerzeitung, die, -en*
*Arbeitsgemeinschaft, die, -en*
*Redaktion, die, -en*
Wie oft?
diskutieren
unsympathisch
abgeben
sich entschuldigen
Pech, das (Sg.)
So ein Pech!
putzen
*Winterzeit, die (Sg.)*
*Sportfest, das, -e*
*Start, der, -s*
verlieren

**Seite 67**
erst
*bestimmt*
Fehler, der, -
Wie geht es Ihnen?
Sie (Anrede)
*zu uns*
*verheiratet sein*
nie
gefallen
heiraten

**Seite 68**
*Umfrage, die, -n*
Hausfrau, die, -en
reparieren
Geschirr, das (Sg.)
spülen
aufräumen
*Vogelkäfig, der, -e*
Müll, der (Sg.)
rausbringen
*Wäsche, die (Sg.)*
waschen
*Quiz-Frage, die, -n*
*zusammenpassen*
*Aussage, die, -n*
notieren
*der Reihe nach*
*Lösung, die, -en*
*mehrere*
*entscheiden*

*Los, das, -e*
*Gewinner, der, -*
*Überraschung, die, -en*

**Seite 69**
*Beitrag, der, ⁻e*
Wie lange?
*Klassenfahrt, die, -en*
*Schullandheim, das, -e*
*Tagesablauf, der, ⁻e*
wecken
*Waschraum, der, ⁻e*
*Mittagspause, die, -n*
*Spaziergang, der, ⁻e*
*Hausschuh, der, -e*
*gemeinsam*
*Ruhe, die (Sg.)*
anders sein
*wie üblich*
*weiterschlafen*
*spritzen*
*Hof, der, ⁻e*
Frühstück, das, -e
*fest*
*Wanderschuh, der, -e*
denken
*irgendwo*
*losgehen*
*stehen bleiben*
*meinen*

## Themenkreis Wir!

**Seite 71**
Weihnachten, das, -
schenken
Ahnung, die, -en
Keine Ahnung.

## Lektion 57:
Feriencamp International

**Seite 72**
*Feriencamp, das, -s*
international
*Freizeitaktivität, die, -en*
junge Leute
Surfen (als Sportart)

**Seite 73**
*anlachen (jemanden)*
*Haut, die (Sg.)*
*einzig*
*gleich*
*Hautfarbe, die, -n*

*streiten*
*sich vertragen*

**Seite** 74

Lieblingsessen, das, -
Lieblingsband, die, -s
sein/seine
ihr/ihre

**Seite** 75

Sonne, die, -n
lieben
schlank
stark
sportlich
sympathisch
blond
unsportlich
schwach

**Lektion 58:**
**So wohnen wir**

**Seite** 76

Stress, der (Sg.)
*umziehen*
Altstadt, die, ⸚e
Balkon, der, -s
Küche, die, -n
wahr
*aussuchen*
*einrichten*
gemütlich
Lieblingsfarbe, die, -n
*mitschicken*
Sofa, das, -s
*Hochbett, das, -en*
*nachts*
überall
*hängen*
Schrank, der, ⸚e
*Schreibtisch, der, -e*
Lampe, die, -n
*verrückt*
*in Ruhe*
*auf jeden Fall*
genug
*Matratze, die -n*
Wem?
am besten

**Seite** 77

Tisch, der, -e
Stuhl, der, ⸚e
Kühlschrank, der, ⸚e

Spülmaschine, die, -n
stehen (= sich befinden)
Schlafzimmer, das, -
Bad, das, ⸚er
Wohnzimmer, das, -
Kinderzimmer, das, -

**Seite** 78

*Iglu, der/das, -s*
*Tipi, das, -s*
*Hochhaus, das, ⸚er*
*Hütte, die, -n*
*Bauernhaus, das, ⸚er*
*Fale, das, -s (Haus in Samoa)*
*Hongkong, - (Sg.)*
*Samoa, - (Sg.)*
*Kanada, - (Sg.)*

**Seite** 79

*sagenhaft*
*Baumhaus, das, ⸚er*
*stolz*
*Baumhausbesitzer, der, -*
*allerdings*
*hinauf*
*Volk, das, ⸚er*
*Regenwald, der, ⸚er*
*Papua-Neuguinea, - (Sg.)*
*sich befinden*
*Höhe, die, -n*
*Raubtier, das, -e*

**Lektion 59:**
**Aus aller Welt in**
**Deutschland**

**Seite** 80

*Mitschüler, der, -*
*Russland, - (Sg.)*
*Nigeria, - (Sg.)*
geboren sein
besser
*Russisch (als Sprache)*
Türkisch (als Sprache)
Spanisch (als Sprache)
*Borschtsch, der (Sg.)*
*Köfte, die, -*
*Paella, die, -s*

**Seite** 81

*Ungarn, - (Sg.)*
*vorstellen (eine Person)*
*beibringen*
*hinhalten*
*Ungarisch (als Sprache)*

*flüstern*
Deutschlehrerin, die, -nen

**Seite** 82

Appetit, der (Sg.)
Guten Appetit!
*Restaurant, das, -s*
*Speisekarte, die, -n*
*Gericht, das, -e*
*Gemüsesuppe, die, -n*
*Kartoffelsuppe, die, -n*
*Toast Hawaii, der (Sg.)*
*griechisch*
*Bauernsalat, der, -e*
*Hauptgericht, das, -e*
*Spaghetti, die (Pl.)*
Hamburger, der, -
*Pommes, die (Pl.)*
*Sauerkraut, das (Sg.)*
*Schweinebraten, der, -*
*Fischfilet, das, -s*
*argentinisch*
*Steak, das, -s*
*Dessert, das, -s*
*Schokoladenpudding, der (Sg.)*
*Heimservice, der (Sg.)*
*Thunfisch, der, -e*
*Mittagsbuffet, das, -s*
*Döner, der, -*
*Currywurst, die, ⸚e*
*Frankfurter, der, -*
*Bratwurst, die, ⸚e*
*Majo(näse), die (Sg.)*
*Stock, der (Sg.) (= Stockwerk)*
*Käseomelett, das, -e/s*
*Würstchenbude, die, -n*
*dagegen sein*
*Dönerbude, die, -n*

**Lektion 60:**
**Feste und Feiern**

**Seite** 83

Hochzeit, die, -en
*Karnevalsparty, die, -s*
*maskieren*
Ostern, das, -
Frohe Ostern!
Ein gutes neues Jahr!
Frohe Weihnachten!
Herzlichen Glückwunsch!
Alles Gute!
Neujahr, das (Sg.)
*Hochzeitspaar, das, -e*

bedeuten
*rausgehen*
tragen (Kleidung)

**Seite 84**

*Schönes Wochenende!*
Viel Glück!
*Halloween, das, -s*
*Geistergesicht, das, -er*
*Kürbis, der, -se*
*erschrecken*
*Sternsinger, der, -*
arm
*Lichterkrone, die, -n*

**Seite 85**

*Luftpost, die (Sg.)*
*Luftballon, der, -s*
*Ballon, der, -s*
*herabsinken*
*Tochter, die, ¨*
*landen*
*herausangeln*
*darauf*
*Birnbaum, der, ¨e*
am weitesten
*Schuldach, das, ¨er*
*herunterholen*
*staunen*
*Polnisch (als Sprache)*
*übersetzen*
*Blatt, das, ¨er (am Baum)*
*abfallen*
*sich (etwas) vornehmen*
*einander*
*im übernächsten …*
Ausland, das (Sg.)

## Theater: Reise nach Planetanien

**Seite 87**

*Raumschiff, das, -e*
*Rakete, die, -n*
hoch
niedrig
rund
eckig
hell
dunkel
leise

**Seite 88**

*glänzen*
*Silber, das (Sg.)*
*stottern*
möglich
*jubeln*
*ebenso*
*Planetenbewohner, der, -*
unfreundlich
*Fremde, der, -n*
*hinterher*
im letzten Moment
*retten*
*Flug, der, ¨e*
*unsicher*
*sich den Bauch vor Lachen halten*
*schreien*

**Seite 89**

sauer sein
Ich bin ein bisschen sauer.
*eben*
*gleichzeitig*
*stöhnen*
*sich umdrehen*
*winken*
*übrigens*
*mancher/es/e*
*überlegen*
*Kontinent, der, -e*

**Seite 90**

*vorbeikommen*
*wackeln*
*fröhlich*
*riesengroß*

**Seite 91**

Stabfigurentheater, das (Sg.)
*Stabfigur, die, -en*
*Draht, der, ¨e*
*Stab, der, ¨e*
*falten*
*aufzeichnen*
*Körper, der, -*
*ausschneiden*
*auffalten*
*anmalen*
*aufkleben*
*Innenseite, die, -en*
*Körperhälfte, die, -n*
*zusammenkleben*
*festkleben*
*festmachen*

**Seite 92**

*dazwischen*
*doppelt*
*ausdenken (sich etwas)*
*Vorderseite, die, -n*
*Rückseite, die, -n*
*herstellen*
*Kopierer, der, -*
*klonen*
*beweglich*
*raufschieben*
*runterschieben*
*bewegen*
*Richtung, die, -en*

**Seite 93**

*Kulisse, die, -n*
*Kartonstreifen, der, -*
*Kartonstück, das, -e*
*breit*
*Mitteltafel, die, -n*
*Garten, der, ¨*
*stecken*
*Klapptafel, die, -n*
*schieben*
*öffnen*
*Hintergrund, der (Sg.)*
*Abstand, der, ¨e*
*spannen*
*entsprechend*
*anpassen*
*Wand, die, ¨e*
*ausfüllen*
*Tafelflügel, der, -*

**Seite 94**

*Aufführung, die, -en*
*auswechseln*
*Sprecher, der, -*
*wählen*
*Stimme, die, -n*
*Projekt, das, -e*
los sein
*Stichpunkt, der, -e*
*Galaxie, die, -n*
*Sonnensystem, das, -e*
*Stern, der, -e*
*Komet, der, -en*
*Meteor, der, -e*
*Science-Fiction, die (Sg.)*

## Feste im Jahr

*Fest, das, -e*
*Weihnachtsplätzchen, das, -*
*Adventszeit, die (Sg.)*
*mithelfen*
*Butterplätzchen, das, -*
*Dekoration, die, -en*
*Streusel, der, -*
*hacken*
*Nuss, die, ∸e*
*Mandel, die, -n*
*schaumig*
*weiterrühren*
*dazugeben*
*Brett, das, -er*
*zusammenkneten*
*kalt stellen*
*ausrollen*
*ausstechen*
*Blech, das, -e*
*bestreichen*
*dekorieren*
*Grad, das/der, -e*
*selig*
*gnadenbringend*
*Weihnachtszeit, die (Sg.)*
*Christ, der (= Jesus Christus)*
*Christenheit, die (Sg.)*
*erscheinen*
*versöhnen*
*himmlisch*
*Heer, das, -e*
*jauchzen*
*Gott, der, ∸er*
Ehre, die (Sg.)

*Heiligabend, der (Sg.)*
*Christbaum, der, ∸e*
*brennen*
*Kerze, die, -n*
*Weihnachtslied, das, -er*
*feiern*
*Plätzchen, das, -*
*Weihnachtsfeiertag, der, -e*
*still*
*heilig*
*einsam*
*wachen*
*traut*
*hochheilig*
*Paar, das, -e*
*hold*
*Knabe, der, -n*
*lockig*
*Liebe, die (Sg.)*
*göttlich*
*Geburt, die, -en*
*Hirte, der, -n*
*kundmachen*
*Engel, der, -*
*Halleluja, das (Sg.)*
*tönen*
*fern*
*nah*
*Retter, der, -*

*Fasching, der (Sg.)*
*Fasnacht, die (Sg.)*
*Rosenmontag, der (Sg.)*
*Karnevalszug, der, ∸e*
*Rosenmontagszug, der, ∸e*
*Karnevalssonntag, der, -e*
*Stadtviertel, das, -*
*Dialekt, der, -e*
*Maske, die, -n*
*Kostüm, das, -e*
*Stell dir vor!*
*Brauch, der, ∸e*
*Lehrerwecken, das (Sg.)*
*sich treffen*
*Licht, das, -er*
*Umzug, der, ∸e*
*erleuchten*

*ausblasen*
*Wolle, die (Sg.)*
*Stoffrest, der, -e*
*fein*
*Dame, die, -n*
*Ring, der, -e*
*ankleben*
*porträtieren*
*Ostersonntag, der, -e*
*Osterei, das, -er*
*Osterbrot, das, -e*
*Frühstückstisch, der, -e*
*Eierpecken, das (Sg.)*
*aufeinanderschlagen*
*Spitze, die, -n*

## Quellenverzeichnis

**Cover:**  © Monika Bender

**U2:**  © Angelika Solibieda, www.cartomedia-karlsruhe.de

**Seite 6:**  von links – erste Reihe: © fotolia/Eray; © fotolia/philipus; © fotolia/photoGrapHie; © iStockphoto/ronen; zweite Reihe: © fotolia/Aleksejs Pivnenko; © fotolia/Jochen Scheffl; © PantherMedia/Konstantin Gastmann

**Seite 7:**  A1 © PantherMedia/Heiko Halbauer; B1 © PantherMedia/Daniel Schoenen; C1 © iStockphoto/Stephan Zabel; A2 © iStockphoto/Peter Engelsted Jonassen; B2 © PantherMedia/Toni Anett Kuchinke; C2 © iStockphoto/Franky De Meyer; A3 © iStockphoto/Daniel Brunner; B3 © fotolia/Maria Eleftheria; C3 © iStockphoto/John Keith; A4 © PantherMedia/Franz M.; B4 © fotolia/Karl O'Sullivan; C4 © iStockphoto/Giorgio Fochesato; A5 © PantherMedia/Alexandra B.; B5 © Thinkstock/iStockphoto; C5 © PantherMedia/Detlef Schneider

**Seite 8:**  © iStockphoto/ktmoffitt

**Seite 10:**  A © fotolia/Karl O'Sullivan; B © irisblende; C © iStockphoto/Steve Debenport; D, H © PantherMedia/Farzin Salimi; E © iStockphoto/fstop123; F © fotolia/Karl O'Sullivan; G © iStockphoto/Izabela Habur

**Seite 11:**  © fotolia/Karl O'Sullivan

**Seite 12:**  Abbildung Briefmarke © fotolia/berlin2020; Zirkuszelt © Kölner Spielewerkstatt e.V.

**Seite 13:**  Eva, Doris, Tobias, Franziska, Rosi, Udo © iStockphoto/Jani Bryson; Elias © fotolia/soupstock; Niko © fotolia/Simone van den Berg; Mara © fotolia/BildPix.de

**Seite 18:**  „Partnerklasse gesucht" aus: Mattenklott, Gundel/Heidelbach, Nikolaus: Unterwegs zur Welt, Cornelsen/Volk und Wissen, 2001

**Seite 20:**  Seitenrand © Thinkstock/iStock/Fekete Tibor

**Seite 22:**  1 © MEV/digiphot; 2 © Hueber Verlag/Kathrin Kiesele; 3 © fotolia/Bernd Leitner; 4 © iStockphoto/bopyd; 5 © fotolia/FK-Lichtbilder; 6 © fotolia/Stefan Arendt; 7 © fotolia/Daniel Tackley; 8 © fotolia/Gipfelstürmer; 9 © PantherMedia/Anja Wittnebel; 10 © fotolia/philipus; 11 © fotolia/Karl Naundorf

**Seite 23:**  B © Thinkstock/iStock/claudiodivizia; D © iStockphoto/cemagraphics

**Seite 24:**  „3000 Kilometer auf dem Skateboard" aus: GEOlino Ausgabe 1/2005 „Kung-Fu", Seite 50; Foto: © Tom Forster

**Seite 31:**  A © fotolia/Maren Detering; B © fotolia/Jürgen Fälchle; C © fotolia/philipus; D © fotolia/lofik; E © PantherMedia/Ron Chapple

**Seite 33:**  A © Martin Jermann, Königsee; B, C, D © Dieter Ritzenhofen, Münstermaifeld

**Seite 34:**  Seitenrand © Thinkstock/iStock/Fekete Tibor

**Seite 36:**  R © iStockphoto/Silvrshootr; E © iStockphoto/Claudia Dewald; B © PantherMedia/Robert Kneschke; N © irisblende.de; I © Hueber Verlag; L © iStockphoto/Fitzer

**Seite 37:**  Erde © www.nasa.gov; Europa © fotolia/Tanja Bagusat; Deutschland © fotolia/darknightsky; Kleve © imago sportfotodienst; Schwanenburg Kleve, Streichelzoo, Gänse, Kino, Radfahrer, Schwimmbad © Hueber Verlag/Siegfried Büttner; Rhein © fotolia/Sandra Zuerlein

**Seite 39:**  Fisch © iStockphoto/georgeclerk; Quark © fotolia/Philipp Meyer; Fleisch © fotolia/Carmen Steiner; Brezel © fotolia/Lucky Dragon; Trauben © fotolia/Neelrad; Quark © fotolia/Philipp Meyer; Eier © iStock/YinYang; Butter © fotolia/seite3; Joghurt © fotolia/Leonid Nyshko; Mineralwasser © PantherMedia/Andreas P.; Traubensaft © fotolia/by-studio; Müsli © fotolia/Ewe Degiampietro; Zucker © fotolia/womue; Tomatenketchup © fotolia/chas53

**Seite 40:**  5 © Thinkstock/iStock/Gordana Sermek

**Seite 43:**  aus: Ursula Wölfel, Achtundzwanzig Lachgeschichten © 1969 by Thienemann Verlag, Stuttgart/Wien

**Seite 45:**  Austernfischer © PantherMedia/Marcus Bosch; Elbsandsteingebirge © MEV/digiphot; Rheinfall © PantherMedia/Christian Schwier; Schweizer Franken © Hueber Verlag; Brunnen © PantherMedia/Volker Rauch

**Seite 46:**  Seitenrand © Thinkstock/iStock/Fekete Tibor

**Seite 47:**  Schild Bushaltestelle © fotolia/DeVIce; Autokennzeichen D, A, CH, FL © fotolia/euthymia; Rettungshelikopter © fotolia/Frank Oberle; Alpen im Winter © iStockphoto/Jivko Kazakov; Genf © iStockphoto/Yang Wang; Hafen Hamburg © PantherMedia/Jutta Glatz; Salzburg © fotolia/Thomas Reimer; Stift Melk © fotolia/Christa Eder; U-Bahn Berlin © fotolia/Oleksandr Prykhodko; Loreleyfelsen © irisblende.de; Rathaus Leipzig © PantherMedia/Steffen Spitzner; ÖBB-Bahnhof Schaan-Vaduz © ÖBB Produktion GmbH – S. Furthner; Schloss Schönbrunn © PantherMedia/Peter Wienerroither; Schaan © imago/Action Pictures; Pilatusbahn © Pilatus Bahnen, www.pilatus.ch; Alpen im Sommer © fotolia/Thomas Brüttel; Nationalpark Wattenmeer © PantherMedia/Steffen W.; Straßenbahn in Wien © PantherMedia/Pamela J.; Fahnen: D © MEV/Wirth Ulrich; CH © MEV/Durz Hubert; A © fotolia/DeVice; L © iStock/selensergen; Seitenrand © Thinkstock/iStock/RonFullHD

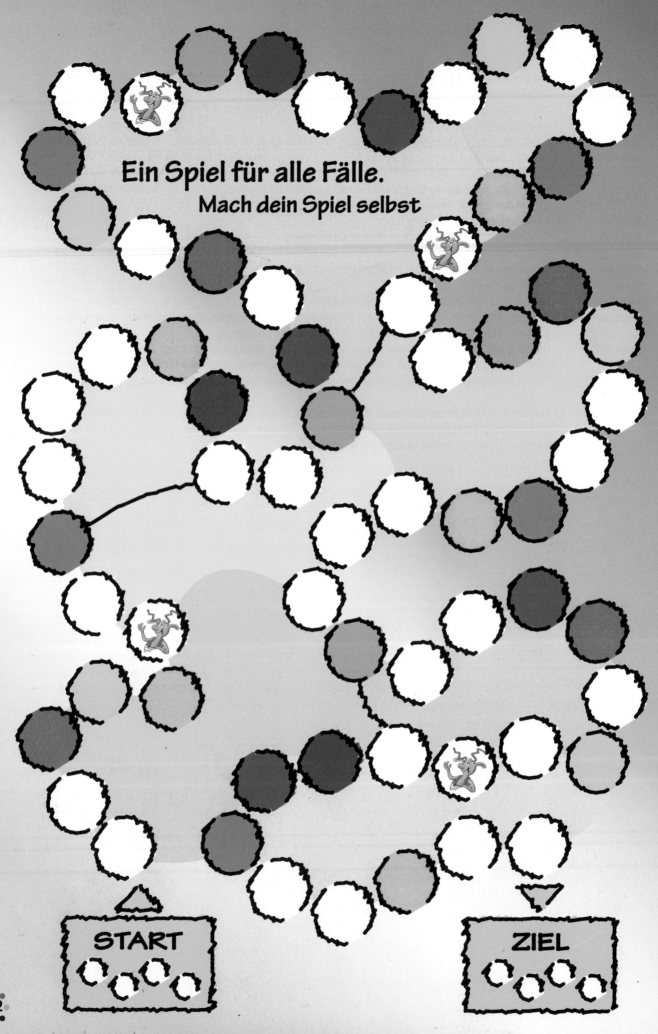